シェットランド・レース Shetland Lace

棒針で編む伝統のレース　ショール、ストール、カラー

嶋田俊之

文化出版局

Contents

ここで使われているパターン名は、通称であり、また、場合により幾通りもあるので、あくまで呼び名の一例としてお含みください。

1 編み方→p.54

リング(輪)のリボン

Ring-ribbon

シェットランド・レースで好きなパターンの一つ。
初めて見た時の気持ちは今でも忘れることができません。
どのように編むのか、今までに見たことのない丸い透かし柄。
シェットランド・レースの扉を開けた瞬間だったように思います。
“リング・ステッチ”と呼ばれる他にも、
バラのつぼみ、デイジー（ひなぎく）、鳥の目、小さな蜘蛛など、
様々な通称があることから、昔から人気の柄であることが窺われます。
また、編み図も数種類あることがわかっています。
本来は総柄で編まれるのですが、縦1列に並べてリボンのように。
ラリエットやチョーカー、短く編んで栞（ブックマーク）にも。
11目6段のみが一模様の繰返し。

2 編み方→p.54

編み方→p.54

ヘリンボーン

Herringbone
(from Tree of Life)

かけ目と左上2目一度だけを使って編む"生命の木"というパターンがありますが、透かし穴の配列を変えて、織物でも大好きな柄、にしんの骨に見立てた、杉綾模様の"ヘリンボーン"に。
毎段かけ目と左上2目一度が入りますが、少ない目数の繰返しです。
サイズや色、素材を工夫して男性用としても。

3 編み方→p.55

もみの木の実

Fir Cone

“もみの木の実”と呼ばれるパターン。松ぼっくりにも似て、整然と並んだ様子。
シンプルな柄は、淡々と繰り返すことでより活きてきます。
両端のエジング（縁飾り）は編始めと編終りに続けて編むことのできる効果的なもの。
控えめな金と銀のラメ入りのモヘアでふっくらと優しさを添えて。

4 編み方→p.60

すずらん

A Lily of the Valley
(from Fern Lace)

1目から編み始めて1目で終わる。といえば、編進み方が気になりますが、
端から一辺はまっすぐに、もう一辺は増目をして好きなところまで編めば背中心。
三角形なのに、編みながら希望のサイズに調整できる合理的なメリットは、
どこか気持ちが楽かもしれません。
エジング（縁編み）2辺と模様編みを同時に編み進みますが、
それぞれの段数をそろえて繰返しをやりやすくしています。
“シダの葉”に例えられる古いパターンの一つですが、
多少手を加えて、より美しく揺れ動くさまは愛らしいすずらんのようです。

5 編み方→p.56

ダイヤモンド・チェーンと バラのつぼみ

Diamond Chain and Rosebud

前ページと同じ編進み方ですが、大きいサイズに。
編み地が大きくなったことを活かして、目数の多いパターンを選びました。
こちらもエジング（縁編み）2辺と模様編みを同時に編み進みますが、それぞれの繰返しの段数は同じにデザインしています。
“ダイヤモンド・チェーン”、“レース・ケーブル”と呼ばれる連続模様は、縦にまっすぐのびるパターンなので、めずらしい編進み方向にして変化を持たせたことで、柄の流れのおもしろみがより引き立ったと思います。
間には“バラのつぼみ”とも呼ばれるリング模様を散らしました。
編進み方は同じでも、パターンが違うとゲージが変わり、3角の形に違いが出るのもおもしろいところです。

6

編み方→p.64

波と貝（フードつき）

Old Shale and Cockleshell -with hood

“古い頁岩（けつがん）（岩石の一種）”と呼ばれるパターンは、日本では“藤編み”と親しまれているものとほぼ同じ。ところ変われば通称の違いにもおもしろさを感じますが、シェットランドでは、ハップ（Hap）と呼ばれ、少し太めの糸で、ときには縞模様に色を入れ、防寒の用途も兼ねて古くから編み継がれてきました。

私たちには多少見飽きた感のある“藤編み”ですが、裏目での畝の表情を工夫して波に見立て、“ザルガイの殻”と呼ばれる貝模様を波のうねりにそうようにはめ込み、フード部分にしました。貝模様は通常、細い糸で繊細に編まれ、薄く仕上げることが多いのですが、貝殻らしい立体感を出したくて、太めの糸で編みダイナミックな表情に。マフラー部分の“藤編み”は、減目をして多少のカーブをつけ、巻いた時の表情に優しさを添えています。フード部分の編み出し位置を変えると、マフラーの巻き方にもスタイルの変化が楽しめます。

7 編み方→p.58

編み方→p.58

“鏡映しの シダの葉”の 鏡映し

Mirrored “Mirrored Fern”

シェットランド・レース研究者の第一人者のひとり、Ms. Sharon Miller女史が、古い“シダの葉”模様の向きを変えて、実験的に交互にはめ込んで生み出した“鏡映しのシダの葉”と呼ばれるパターン。そのまま編み続けると、編始めと編終りは対称にはならず、一方方向で柄が終わってしまうのが残念に思い、“鏡映しのシダの葉を本当にそっくり鏡映し”にして、向きを変えつつデザインをしたら、シダの葉模様の三角形が構成する柄に、よりいっそう動きが生まれました。
小さいサイズですが、シェットランド・レース独特の、まるで一筆書きのように編み進む伝統的な技法が学べます。が、同時にエジング（縁編み）を編むのが難しいときは、本体だけを編み、後でエジングをぐるりと編みつけてもよいと思います。首から掛けるほかにも、ボータイのように結んだり、スカーフがわりに衿元に巻いたり、小さいサイズ感を楽しんで。

8 編み方→p.66

バラの葉

Rose Leaf

パターンと糸の関係は大切で、いつも柄を最大限に活かす糸や作品の形を模索します。
いつかは使ってみたかった“ローズ・リーフ（バラの葉）”。
幾通りかの編み図の種類はありますが、シェットランド・レースの古い資料にも挙げられています。
ガーター編みで楔形の土台を編み、ぐるりと幅広のエジング（縁編み）をフリルのように編みつけます。
巻き方で幾通りにも変化するおもしろさ、モヘアと穏やかなピンク色が相まって、優しい表情になりました。

9目だけの作り目から始め、9目だけのガーターはぎで終える。
大きな編み地からは想像し難いですが、シェットランド・レースの合理的な編進み方の一つです。
ジグザグ模様は背中心でコの字形に美しくつながります。
ほぼすべて、かけ目と左上2目一度のみの透かし穴で構成されています。
始めは目数が多く進みが遅く感じられますが、2段ごとに4目ずつ減目をして、後半はあっという間に編み上がります。少し太めの糸で防寒も兼ねて。

9

編み方→p.68

ジグザグ

Zigzag

10

編み方→p.72

ダイヤモンドと小さな木

Diamonds and Small Trees

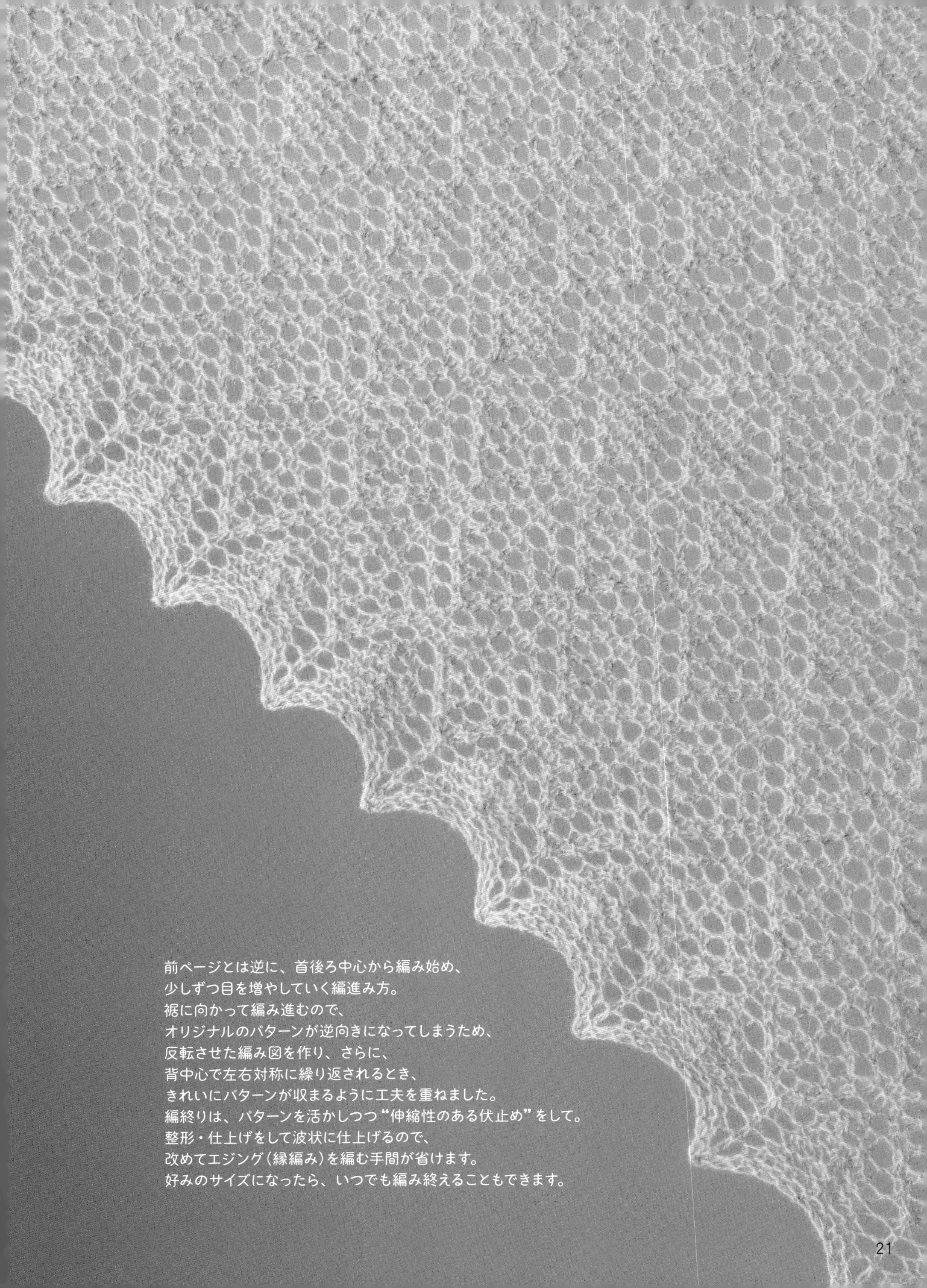

前ページとは逆に、首後ろ中心から編み始め、
少しずつ目を増やしていく編進み方。
裾に向かって編み進むので、
オリジナルのパターンが逆向きになってしまうため、
反転させた編み図を作り、さらに、
背中心で左右対称に繰り返されるとき、
きれいにパターンが収まるように工夫を重ねました。
編終りは、パターンを活かしつつ“伸縮性のある伏止め”をして。
整形・仕上げをして波状に仕上げるので、
改めてエジング（縁編み）を編む手間が省けます。
好みのサイズになったら、いつでも編み終えることもできます。

11

編み方→p.74

小さなビーズとシダ模様＆小窓に小さなビーズと網模様

Small Bead and Tiny Fern with Small Diamond of Bead and Mesh

以前、最も細い糸で、この上なく繊細に編まれた古いシェットランド・レースを見た中で、丸みを帯びた三角形に、違うパターンがはめ込まれたものを見たことがありました。
増目をしながら違う2種類のパターンを、また、常に引返し編みで両サイドのエジング（縁編み）を、すべて同時に編み進めます。ビーズ模様を共通点の一つとしてバランスを整えました。
丸みのある形が、繊細な編み地にいっそう優しさを添える表情になりました。

12

編み方→p.62

波模様の
フードつきの
ケープ

Old Shale
-cape with hood

p.12の作品と同じように、“古い頁岩（岩石の一種）”と呼ばれるパターン。私たちには“藤編み”といえば身近に感じられます。このパターンは、目数の増減によって自由に波模様の大きさを変えることができるので、シェットランドでも、色々な形にアレンジされています。
均等に減目をするのではなく、シルエットがきれいに出るように、また着心地のよさを考えて、裾のフレアーのバランスや肩の収まりを細かく調整し、裏目の畝の表情にもオリジナルの編み方から変化をつけました。フードを被ったときに見えるケープとフードの接続部分は、波模様の区切りを合わせて見苦しくないように。フードの角にあたる丸みの柄の収まりや、トップのはぎなど、シンプルなパターンだけに、細部にこだわりました。
可愛らしさも感じるシルエットに加え、淡々と編み連なった畝を活かして仕上げた表情は、水面に広がる波紋のような静けさと上品さも感じます。ボタンは好きな位置に好きなだけ。

格子に"バラのつぼみ"を組み合わせたパターンは、
格子柄の斜辺を活かして背面に配し、
振り分けになる部分には、
長方形部分をすっきり見せる直線的な古いパターンを。
背面の正方形と振り分けの長方形を繋げた形は、
ずり落ちることがなく安定感があります。
エジング（縁編み）は、
それぞれの辺、それぞれの角により
均一な編みつけのバランスになるように、
後からぐるりと編みつけます。

13

編み方→p.80

ローズ・レースと
プリンセス・パターン

Rose Trellis Lace and
Princess Centre Pattern

14

編み方→p.83

3つのクラウン（王冠）とミセス・モンタギュー

Three Crowns and Mrs. Montague's Pattern

いつかは編みたかった王冠のパターン。しかし、古い編み図には辻褄が合わない間違いもあり、また、より王冠らしく見せたく、何度も編み地見本を作り、改良を重ねました。王冠が活きるように、額縁仕立てにデザインし、それを引き立てるように、小さなダイヤ型の地模様を配して。
王冠に上下の向きがあるので、２枚同じものを編み、背中心でつながるように柄を作りながら慎重にはぎ合わせます。エジング（縁編み）は後からぐるりと編みつけますが、一方方向に編みつけることを逆に利点として、七つの海を思わせる波型に。時代や場所によりますが、高貴な色とされるパープル、浅紫色で。

15 編み方→p.94

引返し編みのカラー

Collar by Short Rows

“編残しの引返し編み”と“編進みの引返し編み”を使い、衿元の折返し部分も同時に編んでいきます。
編始めと編終りは引返し編みをせずに編むので、曲線にならずV字に衿元があきます。
衿元に編みひもを通して自由に変化をつけて。または、すべてに引返し編みを入れて、まったくのラウンド衿にも。
連続模様から取った一つのモチーフを1列に並べ、また、いつもは柄と柄の境目で登場する脇役のはしご状の透かし柄をアクセントに使い、小さなモチーフながら、それぞれが引き立て合うように組み合わせました。シャリ感のあるウールで。
次ページにつづくカラー（衿）の作品は、標準の原型から割り出されていますが、ゲージはもとより、首回りのサイズ、肩幅や肩の角度、体型によって収まりが違ってきます。できれば部分的に編み、整形・仕上げ後の最終的なゲージをとり、必要であれば、パターンのリピート数を変えるなどの調整を。

16 編み方→p.88

分散減目のカラー

Collar by Decrease

作り目をして編み始めるだけで波型になるパターンから始め、
柄と柄が複雑に連鎖していくようにデザインしました。
シェットランド・レースでは、カラー（衿）として形になっている古いものは見当りません。
もともと直線的な枠の中に配される目的で生み出された複雑なパターンですから、
それを曲線の中にはめ込むには、それなりの模索が必要になります。
すべての透かし柄が均一に透けて、きれいなカーブを描いたときには、
シェットランド・レースが生まれ変わり、新しい美しさに触れたようでした。
純白のコットン・ヤーンで。
次ページの作品と同様に、レース模様を活かすために、また、伸びダレをふせぐために、
首回りと前立てはかぎ針でシンプルにまとめていますが、好みで装飾的な縁飾りをつけても。

衿元から編み始め、シェットランドでは“古い頁岩（岩石の一種）”と呼ばれ、私たちは“藤編み”の名前で親しんでいる柄で。目数の増減で、波模様自体の大きさを変化させることが一般的ですが、そうすれば、衿裾のスカラップは大きく波打ち、繊細さに欠け、可愛くなりすぎる可能性がふくまれます。波模様の大きさは最後まで同じにし、模様と模様の間から少しずつ新しい模様が生まれ、衿裾では同じ波模様が並ぶようにしました。なじみ深い“藤編み”の波模様ながら、曲線のフォルムの中に、直線的なラインが活かされ、ストイックな表情にまとまったと思います。
生糸の色の雰囲気を残す生成りのシルク糸で。伸び縮みのない絹糸は、新しい着物の帯を締めるときのように、編む手元できしきし鳴ります。仕上がりのあまりの軽さに、安定感を求めてパール・ビーズを編み込みました。最後に衿裾のスカラップがきれいに出るように“伸縮性のある伏止め”をして。

17

編み方→p.98

分散増し目のカラー

Collar by Increase

18

編み方→p.89

リング(輪)の半円形ベール

Ring
-Semicircular
Veil

古いモノクロの写真で、半円形のシェットランド・レースを見た記憶があります。印象深かっただけに、ずっと心に留めていました。もともとは、ベールとしての目的だったということですが、敬虔な祈りも込められていたのでしょうか。もちろん、肩にかけても裾のラインが素敵です。p.3 の作品と同じ“リング・ステッチ”を全面に配して。
シェットランド・レースでは、直線的な枠の中にパターンをはめ込むことがほとんどなので、半円形の曲線の切れ部分では細かな調整が必要です。まるで布地を半円形に切ったかのように、柄をエジング（縁編み）ぎりぎりまで入れるよう試みました。昔は、エジング（縁編み）は別に編み、とじ合わせていたようですが、接続部分の美しさを求めて、ここでは後から編みつけています。それでも曲線から美しく均等に編みつなぐのは至難の業。あらかじめ細かく計算して拾い目をしておきます。この本の中ではいちばん細い糸を使い、大好きな２種類のエジング（縁編み）を合わせました。

ロンドンで出版され、今では現地のミュージアムでも所蔵しているという、とても古い編み方入りのパンフレットから。このパターンは、Ms. Julia Sutherlandという女性によって生み出されたという記述が残っています。彼女は、レース編みの名手の一家のひとりとして、数々の偉業を成し遂げ、ロイヤル・ファミリーのメンバーにも献上されたというエピソードも残っていて、試行錯誤と美しさを求めた民衆芸術が昇華されるプロセスには軽い興奮をおぼえます。
サイド・パネルには、シェットランド・レース独特の、"貝殻模様の格子"の中に細かな柄をはめ込み、センター・パネルには大きな穴の"レース・ホール"、小さな輪の"デイジー（ひなぎく）"、幾重にも輪が重なる"蜘蛛の巣"を連続させています。これら個別の柄には、様々な通称があり、また柄の並び全体を指して、"パズル・パターン"、"ストライプ・デザイン"などとも呼ばれています。美しいと感じ、人気があればあるほど、呼び名も多くあるようです。
一見、あれこれパターンを集めてきたようにみえますが、サイドとセンターのパターンとエジング（縁編み）は、大きな穴の"レース・ホール"を共通項として、見事に透かし具合のバランスが保たれていて、"極限まで完成されたものは手の加えようがない"、そんな美しさにあふれています。

19

編み方→p.96

貝殻模様の格子と蜘蛛の巣のパズル・パターン

Shell Grid and Spider Webs Puzzle

20 編み方→p.92

ダイヤモンド格子と蜘蛛の巣・2匹の蜘蛛・ダイヤモンドのパターン（アンスト島）

Diamond Trellis with Spider Webs, Spiders and Diamonds -Unst Lace

サイド・パネルに“ダイヤモンド格子”に様々な柄をはめ込み、センター・パネルは、3種類の小さな柄をパズルのように配して。
シェットランド諸島の中でも、北の果てに位置するアンスト島は、“蜘蛛の糸”に例えられる手紡ぎの極細糸で、繊細かつ複雑に、美しいレースを生み出してきたことで特に有名です。これらのパターンも、アンスト島から伝わったとされています。
蜘蛛の糸とはいきませんが、手紡ぎの糸で編んでみました。酷似している提案する糸については編み方ページを。

シェットランド・レースが全盛であった時代、多くの“ファイン・レース”と呼ばれる極上のレースは、富豪や愛好家にもたどり着きました。ヨーロッパで腰輪（クリノリン）でスカートを大きく膨らませるスタイルが流行っていた頃、装飾品として衣服のいちばん上に装われた大判のシェットランド・レースはさぞかし人気があったことでしょう。今でも、オリジナルである大判の正方形のスタイルは、熱烈なシェットランド・レース・ニッターにとって、一度は編んでみたいと思わせる存在感を漂わせています。
前述のシェットランド・レース研究者の第一人者のひとり、Ms. Sharon Miller女史の提案する柄の組合せを参考に、幅広のボーダー・パターン（外枠）には伝統的なジグザグ模様を配し、その内側に2種類のフレーム・パターン（内枠）を。センター・パターンには、“3匹の蜘蛛”、“蜘蛛の巣”、“ビーズ”、“ダイヤモンド”の組合せパターンで。特徴あるボーダーのジグザグ模様は四隅できれいに楔形に。
ボーダー・パターンは輪に編まれていますが、あまりに目数が多いので、次ページの作品の編進み方のように、4分割にそれぞれ往復編みにし、後からとじ合わせてもよいでしょう。

21 編み方→p.100

大判正方形のシェットランド・ショール（白）

Shetland Framed Shawl 1 -White

22 編み方→p.103

大判正方形の
シェットランド・ショール(黒)

Shetland Framed Shawl 2
-Black

p.38の作品をアレンジして大判の正方形スタイルに。彩色をもたない黒ですが、無限の奥行と不思議な魅力を感じる色。光を吸収するかのような黒は、編んでいるときの糸の重なりや手元の操作がわかりづらく、また、目が疲れ気味になります。
エジング（縁編み）を外周分編むことから始めますが、既にこの段階で、この作品では2300段強、前ページの作品では2800段ほど編まなければ本体のボーダー・パターンに編み進められません。
昔から、途方もない時間と労力をかけ、美を求めて物づくりをしてきた人の営みと、それを残し伝えた偉業を想うと感慨無量で、シェットランド・レース、ニットの広大な宇宙ほどの奥深さを知ると、それらの前では謙虚にならざるを得ません。

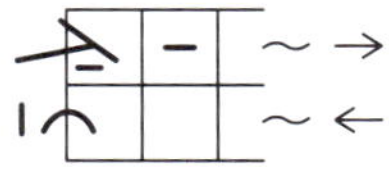

A【本体(模様編み)の段への縁編みのつなぎ方】

1 縁編みをそれぞれの編み図に従い、本体側へ編む

2 本体ガーター編み地の畝と畝の渡り糸に針を入れる(基本的に2段ごとに1回)

3 矢印のように針に糸をかける

4 糸を前に引き出す。表目で編みつながり、1目増えたことになる(|⌒)

5 全体を裏に返す

6 端1目を編まずに右針に移す(すべり目)。その後、糸を向うに渡す

7 次の目を表編みで編み、右端のすべり目をかぶせる

8 右上2目一度が編め、編みつなぎで1目増えた目を減らしたことになる(入)。それぞれの編み図に従い、縁編みを編み進める

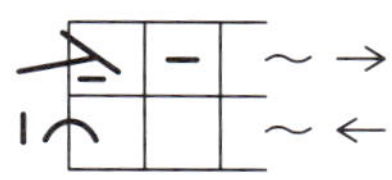

B【本体(模様編み)の目への縁編みのつなぎ方】

1 本体の休み目は針に戻した状態にしておき、縁編みをそれぞれの編み図に従い、本体側へ編む

2 本体の休み目から表目で編みつながり、1目増えたことになる(|⌒)

3 全体を裏に返す。糸を本体と縁編みの間から向うへ渡す

4 端1目を編まずに右針に移す(すべり目)

5 次の目を表目で編み、右端のすべり目をかぶせる。右上2目一度が編め、編みつなぎで1目増えた目を減らしたことになる(入)。それぞれの編み図に従い、縁編みを編み進める

★段への編みつなぎの時、端の目から編み出し(拾い出し)ますが、半目(1本)内側からか、1目(2本)内側からかは、判断が必要です(A-2)。太い糸では整形・仕上げ後も、拾いしろの目が目立つこともあり、また、多少強度もあるので半目(1本)内側から。細い糸では、逆に目立ちにくく、強度も弱い場合があるので、1目(2本)内側からを基本として、作品と使用糸に合わせて、好みでどちらかに統一して編みつなぎます。

★段からの時は端の目から編み出し全体を裏に返した後、目からの時は本体の休み目から編み出し全体を裏に返した後、糸を向うに渡す際、本体と縁編みの間で渡す方法(A-6、B-3)と編みつなぎの端1目(右針にすべり目)と縁編みの次の目の間で渡す方法があります。厳密には編みつなぎ位置の表情は変わりますが、基本的に全体がガーター編み地であり、整形・仕上げ後は大きな違いは生じないので、好みでどちらかに統一して編みつなぎます。

C【縁編み部分での引返し編みと段消し】

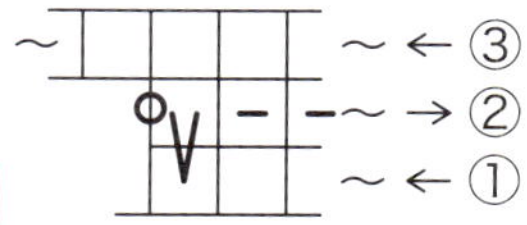

または

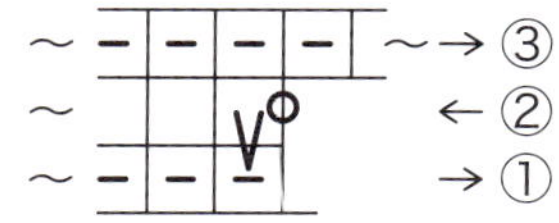

1 縁編みをそれぞれの編み図に従い、本体側へ編む①

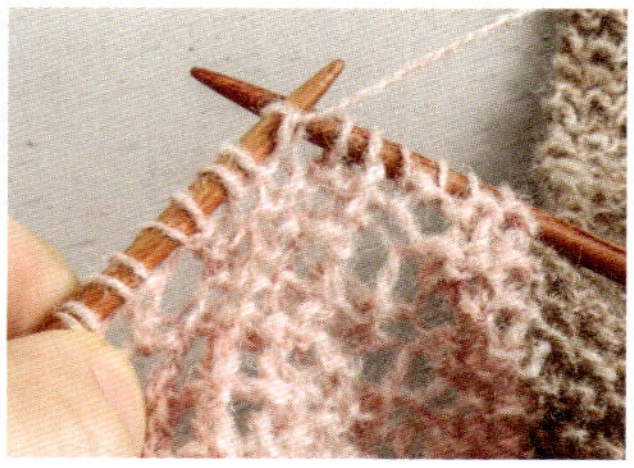

2 全体を裏に返す②

3 編み糸を手前から向う側、再び手前に巻きつけてかけ目にする

4 編み糸を手前にしたまま裏目を編むように針を入れて、次の目を右針に移す（すべり目）

5 手前にあった糸を、左右の針の間から向うへ渡す

6 縁編みをそれぞれの編み図に従い、編み進める

7 全体を表に返し③、前段ですべり目にした目まで編む

8 前段のかけ目と次の目を左上2目一度にする

9 段消しができた

C → A → C → B と編みつないできたところ

【伸縮性のある伏止め】

1 表目で2目編む

2 編んだ2目に改めて表目を編むように針を入れる

3 2目一度のように表目を編む

4 続けて表目を１目編む

5 2と同じように針を入れる

6 3と同じように表目で編む

7 以後、4～6を繰り返す

★裏目での伸縮性のある伏止めは、裏目2目から始め、2目一度に編むときに、裏目を編むように、針を交差させます。

《この本で使用した毛糸（実物大）》

表記順　生産国またはメーカー／糸名／素材／単位（g）／長さ（m）

1　シェットランド製／レース糸（スプリーム・1プライ・レース）／シェットランドウール 100％ ／ 25g ／ 400m

2　シェットランド製／レース糸（1プライ・カブウェブ）／シェットランドウール 100％ ／ 25g ／ 350m

3　シェットランド製／レース糸（スプリーム・2プライ・レース）／シェットランドウール 100％ ／ 25g ／ 200m

4　シェットランド製／レース糸（2プライ・レース）／シェットランドウール 100％ ／ 25g ／ 169m

5　シェットランド製／フェアアイル毛糸（2プライ・ジャンパーウエイト）／シェットランドウール 100％ ／ 25g ／ 118m

6　ホビーラホビーレ／プチソワ／絹 100％ ／ 20g ／ 230m

7　ホビーラホビーレ／クロッシュコットン／綿 100％ ／ 25g ／ 200m

8　ホビーラホビーレ／ウールシェイプ／ウール 100％ ／ 25g ／ 125m

9　ホビーラホビーレ／ソワブリエ／モヘヤ 40％、シルク 27％、ナイロン 27％、ポリエステル 6％ ／ 40g ／ 160m

10　ローワン／キッドシルク・ヘイズ／モヘヤ 70％、シルク 30％ ／ 25g ／ 210m

11　ローワン／ファイン・レース／ベビーアルパカ 80％、メリノウール 20％ ／ 50g ／ 400m

12　アヴリル／カシミヤ／カシミヤ 100％ ／ 10g ／ 130m

13　イサガー／アルパカ2／ベビーアルパカ 50％、ラムズウール 50％ ／ 50g ／ 250m

14　オステルヨートランド／ヴィーシェー／ウール100％／100g／300m

《 編み始める前に 》

Knitting Tips and Advice

●ゲージ

ゲージ表記では10㎝四方の目数と段数を示しています。これらは、作り方ページに仕上げ方として特に指示のない場合、最終的な仕上りのゲージのあくまでも目安であり、よって出来上りサイズも参考サイズとして、共に“約”と捉えてください。ここでの作品のほとんどがウェアではないので、出来上りサイズにこだわり過ぎるよりも、最終的な仕上りとして、どのあたりの美しい透け感を求めるかということが最重要になってきます。

模様編み部分の一部を編み、「整形・仕上げ」の項目を参考に、最終的な仕上げの状態にして透け感を確認し、針の号数と手加減を決めてください。

●用具・針

作り方ページには、“●号棒針”と記していますが、棒針とは、かぎ針ではないという意。号数のみを記していますが、作品によって、また同作品の中でも編む場所によって、目数が少ない場合は短めの棒針、目数が多い場合は長めの棒針か輪針（往復編み・輪編みが可能）と好みで針の長さを替えてください。

針の素材は好みですが、硬質系（金属等）か軟質系（自然素材等）かで編み地の表情が変わる場合があります。また、針先の角度や尖り方も重要で、よりスムーズに透かし柄を編める場合もあります。輪針に関しては、針と輪のジョイント部分で、かけ目などがあるため編み目がひっかかりやすい場合があるので、それぞれにおいて色々と試すことをおすすめします。

●材料・糸

ここで紹介した糸以外にも好みの糸で編むこともよいでしょう。糸選びとしては、編む糸が太いか細いかで、それぞれの透かし柄の表情が活かされて適しているか判断する必要も出てきます。太い糸では、複雑な両面操作（奇数段偶数段ともに操作が入る）の柄は透け感の多い繊細さが表現しきれていない場合もあり、比較的簡単な柄のほうが、かえって柄と糸が活きてくるなど、糸と透かし柄のバランスを確認、また「整形・仕上げ」での吟味をしてみましょう。

ここでの作品は、全体のイメージをまとめるために淡い色調の糸が多いですが、好みでカラフルな糸を使ってもよいでしょう。色が濃くなると、2目一度や3目一度の操作の際、陰影（目の重なり）がわかりづらくなることもあるので、目を落とさないように気をつけます。また、細い紡毛糸などの場合は、糸が弱く切れやすいので注意が必要です。

●編み方図・編み目記号の読み解き方

繊細な表情ゆえに難しく思われがちですが、基本はガーター編み（ここでの作品ではごく一部を除く）なので、表面と裏面をそれぞれ手前に見て編むときには、手元はいつも表目で編むことが基本です（ここでは表面、裏面と表現しますが、ガーター編みなので、シェットランド・レースは基本的には裏表がほとんどないと捉えられています）。

編み方図は、奇数段を表面として見た図になっているので、奇数段の編み目記号はそのまま編みます。偶数段は表面から見た状態の記号になっているので、偶数段=裏面を手前に見て編む場合は、表面から見た編み図の編み目記号になるように考えて編まなくてはいけませんが、以下の整理された編み目記号の図式を参考にすれば複雑ではありません。また編み目記号が沢山あるように見えますが、実際編む手元の操作の種類は、編み方図の見た目ほどではありません（輪編みの場合は毎段表面を見て編むので、編み目記号そのままに編みます）。

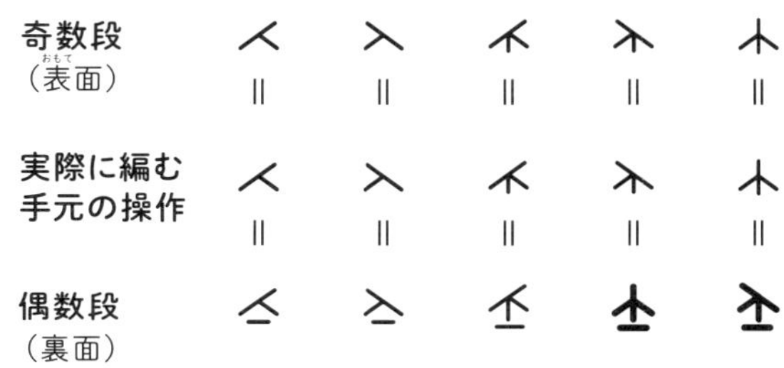

●透かし柄の編み目記号について

古い編み図では、柄の向きや流れに関係なく“左上２目一度”が多く見受けられます。おそらく昔は、早く編むため、また、編み図が発達していなかったので頭の中や簡単なメモを頼りに編んでいたため、そして歴史的に古い伝統ニットでは、やりやすく、目数が減ることのみを優先的に捉えていたため“左上２目一度”が主流としてみられます。

昨今の流れでは、より美しく柄を出すために、左上・右上・中上（３目の場合）とこだわる場合も出てきましたが、あまりに目なりの向きを変えてしまうと、伝統ニットであるシェットランド・レース独特の編み地の表情のニュアンスが薄れてしまう場合もあります。色々と試して、結局オリジナルの目なりの向きがよいということもあり、ここでは、それぞれの透かし柄とそれぞれの糸の関係を活かせるように、個々の作品において決めています。細い糸では、目なりの向き（左上・右上・中上）がわかりにくいため、あまり気にならない場合もありますが、太い糸では目なりが見てとれるので、考慮し判断する必要がある場合もあります。

●構造

複雑に見えるシェットランド・レースですが、ほかの伝統ニットと同じく基礎となる構造は驚くほどとてもシンプルです。現在の一般的手法でのゲージからの縦横の割り出し等はなく、縦横の比率関係は“1:1”か“1：2”か“1:1/2”でしかありません（稀に例外的な作品を除く）。

1:1＝例えば本体の段に縁編みを編みつなぐ場合は同じ段数に（２段分に対して２段分）、1：2＝例えば本体の目から縁編みを編みつなぐ場合は２倍の段数に（１目分に対して２段分）、1:1/2＝例えば縁編みの段数から本体の目を拾う場合は２分の１の目数に（２段分に対して１目分）という考え方です。

現在の一般的な細かな計算での不規則な拾い目や編みつなぎ等

をすると、整形・仕上げ後の表情は、編み地の接続部分（境目）がかえって見苦しくなってしまう場合があります。また、ゲージから細かな計算で縦横の割り出しをしたとしても、細い糸であればあるほど、サイズが大きくなればなるほど、編み地が透かし柄のため不安定なので計算通りに納まりにくい場合も生じます。規則的に編み出し、拾い目、編みつなぎ等をする場合は、多少の歪みは生じますが、例えば“1：1”の関係の時には縁編みの引返し編みが必要であっても、“1：2”もしくは“1：1/2”などの場合には、その歪みを利用して縁編みの引返し編みがなくてもうまく納まるなど、巧みに歪みを逆に活かし全体的なバランスをとっていることなど、大変合理的でより簡単に美しく整える効果を生み出す考えは、伝統ニットであるシェットランド・レースにみられる大きな特色です。
縁編みは、別に編んでおき本体に後からとじつけるやり方や、本体に後から編みつなぐやり方、先に縁編みを編み本体を編み始めるための拾い目をするやり方、本体と同時に編み進めるやり方等いくつかの方法がみられます。縁編みの幅自体があまりない場合は、整形・仕上げの段階でバランスよく整えますが、幅がある場合、場所によってはコーナーを曲がるときなどに歪みが生じるので（段数が足りない）、その際は、とじつけるバランスを考えたり、編みつなぐ回数に変化を持たせたりしますが、編み地の接続部分がやや見苦しくなってしまう場合もあるので、引返し編みを入れる方法がとられました。本来の引返し編みは、現在の国内での一般的なやり方のように、かけ目・すべり目・段消しのような操作はなく、ただすべり目をして引返すだけでしたが、より美しく編み地がまとまるように現在のやり方のように改良しました。現在の引返しが難しいと感じるときは、すべり目だけの引返しでも間違いではなく、海外でもいまだにみられるメソッドですが、糸と編み地の関係を考慮しつつ引返し部分の表情を確認しましょう（p.47参照）。

編進み方に関しては、昨今改良されて様々ですが、一般的に他の棒針レースのストール、ショールの編進み方と比べ、“より少ない作り目から始め、より少ない目数を最後にはぐ”という例が特徴の一つです。ここでの作品は、あえて様々な編進みのタイプ、形のものを折り込みましたが、中にはこのような特徴的な編進み順で作品が仕上がってしまうものも含まれています。まるで一筆書きのように糸を編み進めることも、シェットランド・レースにみられる伝統ニットの合理性の一つの表れでしょう。
ここでの編み方図は、記号をよりよく読み取ることを重視し、方眼（縦横 1:1）のマス目にしていますが、「編み方図・編み目記号の読み解き方」にあるようにシェットランド・レースは、ほぼガーター編み地が基本なので、2段ごとに1目の増し目もしくは減し目を続けた場合、約45度の角度になると捉えます。まだ計算式が普及していなかった時代に、このこと一つを目安にできただけでも、柄行の納まりや全体像の把握、縦横の長さの関係の助けになったことでしょう。
これらはシェットランド・レースの特徴のごく一部ですが、複雑に見えて実は培われてきた構造メソッドは、とても単純明快という伝統ニットならではの先人の智恵や考え方が含まれています。

●整形・仕上げ

編み上がったら、作り方ページに特に指示（ほぼ編んだままのサイズ・編み地の表情で仕上げる等）のない場合は、編み地を張って仕上げます（ブロッキング Blocking、ドレッシング Dressing）。このプロセスを経て透かし柄をより美しく見せ、薄さを出します。
あらかじめ畳かカーペットの上にタオルやシーツを敷いておき、熱めの湯ではウールに変化が生じる場合があるので、水もしくは人肌程度のぬるま湯に好みでウール用洗剤等を用いて浸けこみ洗い、またはやさしく手洗い（押し洗い）します。洗剤等を使う場合は指示に従い、すすぎ後、大きめのタオルなどであらかたの水分を取り除き、布の上に広げ、縁編みの角の部分にバランスを見ながらピンを打ちます。

【水通しについて…】

シェットランド・ウールを使用した本来のシェットランド・レースはこのような工程を経ますが、すべての糸・素材というわけではありません。時には、水通しをせずにピン打ちをし、スチーム等で仕上げる場合もありますが、色物の場合は余分な染料を念のため落とすという考えからも水通しをしてもよいと思います。シェットランド・ウールの場合は、仕上りの風合いを求めての工程であり、特に汚れているわけではない場合は洗剤を使わず、また浸したまましばらくおいておくだけでもよいでしょう。

【張る場所について…】

本来は、縁編みの角に紐を通し木枠に張ったり、希望の仕上りの半分のサイズの木枠に二つ折りに挟むように縁編みの各角どうしを紐で縛ったりします。この場合、現地では土足の生活が主流なので、立てかけたり移動させて乾かすようですが、改めて木枠がなくてもきれいに張ることができます。畳やカーペットの傷みが気になる場合や板の間（フローリング）の場合は、好みの大きさに繋げられるコルク板などを活用してもよいでしょう。

【張り方…】

大きな作品はピンの数が多く時間がかかるので、形状記憶のワイヤー（ブロッキング・ワイヤーと呼ばれる）等を利用し、縁編みの各角にワイヤーを通して粗くピンを打ちながらアタリをつけるとやりやすいでしょう。ワイヤーの状態のまま乾かすと、縁編みの角にワイヤーがあたった跡が残ることがあるので、最終的にはすべてピンに替え、各縁編みの間隔や透かし柄がいちばんきれいに見えるように微調整をしながら形を整えます。素材等により差はありますが、張った後で“戻り”が出ることがあるので、そのことをあらかじめ考慮して、希望の張り具合より少しだけ大きめに張るように心掛けます。
また、張るときに敷く布は、透かし柄の確認がしやすいように補色の布のほうがよく、マス目（縦横線）が入っている布の場合は対称であるべき場所等のサイズの確認がしやすいでしょう。
完全に乾いて、ピンをはずしても縁編みが戻らず形がきれいに出ていればピンをはずします。素材等により、どうしても“戻り”が生じる場合は、スチーム・アイロン等で編み地を定着させるように試みてください。

どの辺りまで張るかということは、素材と編み加減にさかのぼるので一概には言及しがたいことです。この段階で最終的な透かし柄の表情を決めるので、必ずしっかり張るというわけではありませんが、張り方がゆるいと縁編みの角が出にくかったり、透け感に乏しかったりし、逆にゆるめに編んだものをしっかり張ると、“密と疎”の差があって美しく見える透かし柄が“疎”の要素が多く、柄がはっきりしないということもあるので、どちらかというと“少しきつめに編んでしっかり張る”ほうがきれいに仕上がる可能性は高いでしょう。しかし素材によっては、ふんわりとした加減をわざと残す場合もあり、逆に緊張感のある仕上りを求めることもあるので、個々のイメージや好みで張り方を考慮してみてください。
編み上がったときはクレープ状になっていますが、まるで命が吹き込まれたかのように透かし柄が現れる瞬間は、編み間違いや目を落としていたことが判明する時でもあるのですが、丹念に編み進めてきた過程を経て、ある意味感動的で他のニット作品にはない特別なプロセスです。

整形・仕上げの張り方

1

編み上り、張る前の状態

2

縁編みの角の部分にワイヤーなどを通し、粗くピンを打ち、模様編みの透け感などを確かめつつ、どの辺りまで張るのか見当をつける

3

イメージが定まったら、徐々にピンの数を増やし、縁編みの間隔や全体の透け感のバランスをチェックしながら、すべてピン打ちの状態にし、ワイヤーは静かに抜き取る

•その他の留意点

【糸つなぎと糸端の始末…】

糸のタイプと透かし柄によりますが、透け感の多い場合や細い糸の場合は、編み地の端や縁編みの外側等、目立ちにくいところで結んで糸つなぎをするほうがよいでしょう。2プライ（2本撚り）の場合は、終わる糸と新しい糸の端を1本ずつにやさしく裂き、それぞれを互いに組み合わせ、それぞれの片方の糸どうしで撚り戻し、残りの片方はそのままにして太さの変わらない1本にし、撚り合わせなかった糸端を避けて編み進めます。このやり方であれば、端ではなく編み地の上で糸つなぎができますが、「整形・仕上げ」で張る工程が最後にあることを鑑みて目立ちにくいところでの糸つなぎをおすすめします。
ガーター編みで編み地の端がまっすぐな（縁編み等がない）場合は、端での糸つなぎと糸端の始末は余計に目立ってしまうので、少し中ほどのできるだけ透かし柄を避けたところで行います。
糸端の始末は、上記の2プライの例でなければ、とじ針で編み地の端や縁編みの外側等に目立たないように編み地の目なりに糸をくぐらせ、糸端は長めにおいておきます。「整形・仕上げ」で張る工程の際、編み地が広げられて糸端が戻る場合があるので、（上記の2プライの例の糸端も同様に）そのままにして仕上げ、最後にピンをはずすときに糸端を忘れずに切ります。

【ガーターはぎ…】

テキストの図版などでは、針から直接はいでいるイラストが見られますが、糸が細く、透かし柄等あるので、目を途中で落とさないように、あらかじめ一旦針からわかりやすい色の別糸に移し替え、落ち着いて目なり・柄なりにはぎます。「整形・仕上げ」で張る工程があるので、はぎ位置のみ目が大きくなり過ぎたり、引きつれたりしないように、加減に注意しながらはぎます。

【洗濯・張り直し…】

昔の日本人が着物に香を焚き込めるように、北英や北欧で手紡ぎや自然素材で染められ、虫が喰わぬように気をつけていた時代の古い伝統ニットは、基本的に洗うということがほとんどありませんでしたし、現在でも現地でシェットランド・レースを「洗濯する」ということを聞いたことがありません。特に部分的に汚れてしまった場合は、やさしくつまみ洗い程度と捉えてください。「整形・仕上げ」に記しているように、いつの間にかの“戻り”が気になる場合は、改めてピン打ちをして張り直し、スチーム・アイロン等で整えるか、希望によっては再度水通しから始めてもよいでしょう（太めの糸で編まれたレースに関しては、希望する買い手から、汚れや再整形のための洗い・張り直しのサービスを行っていたという古い記述が残っています）。

•その他のコツ・上手に編むために…

i かけ目をそろえる。透かし柄の基本はかけ目によってできた穴です。針に糸をかけるときは前後の操作からの流れも含め、できるだけ同じ距離感をもつように心掛けましょう。

ii 編み地はガーター編みが基本なので、クレープ状になります。編み地自体（密）になる部分と、柄を構成する穴（疎）になる部分の差をつける気持ちで、時々編み地をやさしく引っ張るようにしごきます。現地のやり方の一つとしては、編み地をまとめてベルト等に挟み、引っ張り気味に編む方法も見受けられます。クレープ状の編み地に針が入れやすく、編み地の“密と疎”を作ることにも一役買います。

iii 複雑な編み地を編んでいると、目を落としたり、編み間違いをする時があります。両面操作（奇数段偶数段ともに操作が入る）場合は、解くこと、針に戻すことも難解になります。不安な場合は、時々編み進めた段に細い別糸を休み目にするように入れ、そのまま続けて編み進めます。間違いに気づいて糸を解く場合は、その段まで解けば別糸で目はすべて止まっているので、そこから改めて編み進めます。“命の糸（命綱）”と呼ばれています。

iv 比較的大きい作品など膝の上で編み地が編みたまると、特に色が濃い場合などでは、編んでいる針先の向うにも同じ色の編み地が重なり、針元の陰影（目の重なり）がわかりづらく編み地や操作が見にくい時があります。膝の上の編み地に補色の布などを掛け、針元が見やすいようにします。

v フェアアイル・ニットの模様と同じく、連続模様の繰り返しがほとんどです。リズムに乗るように編み進め、手加減を揃えます。

vi 編む時の状態（湿度や室温）と針の素材、手の油分や湿り具合の関係で、スムーズに編めたりそうでなかったりする時があります。白や薄い色のものを編む場合を含め、まず手を洗います。汗ばむ場合、湿気を感じて編みにくく感じる場合はベビーパウダー（天花粉）を手に塗し編みます。編み地に白い粉がつきますが体に悪いものではなく、後で水通しをするので問題ありません。

《歴史と背景》

Historical Background

英国のスコットランド北端、オークニー諸島の北東に位置し、約100の島々からなるシェットランド諸島は、カラフルな編み込みのフェアアイル・ニット発祥の地としても有名ですが、同時に、シェットランド・レースも古くから編み継がれてきました。
ニットの歴史は大変古く、14世紀のはじめ頃には日常的に使う羊毛製品は既に編まれていたようです。16世紀頃には、主に靴下や手袋などが編まれ、シェットランド・シープの上質で軽く暖かい製品は収入源の一つとなり、18世紀頃には主要な産業として発展していきました。19世紀のはじめ頃には、繊細に編まれたレースのストッキングなども高値で取引されていたようです。ナポレオン戦争（-1815）の影響や1820～40年頃のたび重なる飢饉により、一旦はニット産業の存続が危ぶまれましたが、それを乗り越え、より芸術性の高い繊細なレースの柄やスタイルが改良され続けました。読み書きに乏しい島民は、手から手へ真似てパターンを覚え、またヴァリエーションを増やしていきました。厳しい気候の中での農業、漁業に頼りきれない時代、ニットはより大切な生活の糧になっていきました。ニッターは習慣的に、農作業の行き帰りに外で編む日常的な物と、家の中で小さな灯火のもとで編む売り物と、2つを同時に編んでいたようです。ヴィクトリア時代（1837-1901）に入り、シェットランド・レースは一つの頂点を迎えます。蒸気船航路の開通や郵便制度が整い、また、1851年のロンドン万国博覧会での紹介により、シェットランド・レースは世界に広められることになりました。繊細なウール糸で複雑なパターンを編み込んだレース類は、その時代のファッションに適していることもあり、富豪層を中心に人気があり、王族へ度々献上もされました。その後、第一次世界大戦（1914-1918）の影響で、スカートを膨らませる腰輪（クリノリンやバッスル）スタイルが減り、雑誌等でのかぎ針編みの紹介によって人気が移ったことにより、徐々に衰退をたどります。また、1920年頃にフェアアイル・ニットを着用したウェールズ皇太子の肖像画が世に知られることにより、シェットランド・レースとフェアアイル・ニットの位置関係が逆転しました。現在までも含めて、時としてあまりにも細かな作業と集中力を要するシェットランド・レースは、産業としては採算がとれず、後の機械化の導入にもより、どちらかというと芸術品として生き残る道を選択されます。それでも第二次世界大戦（1939-1945）までは、島の産業の一つとして手紡ぎ糸により編まれ続けていたようです。1950年代に入り、シェットランド・レースの素晴らしさの再認識と同時に存続を危惧する動きが出ました。この頃になって、初めて公的に編み方を記すことが始まり、印刷物になり紹介されましたが、緻密なパターンの記法においての不正確さや、ミス・プリントにより、多くのニッターにとって「難しすぎる」と落胆させるものもありました。しかし今に至るまで、現地の伝承者、また研究者やデザイナーによる紹介や編み図の改良で、世界中のニット・ファンに愛され続けていることは周知の通りです。現在では、シェットランド製の全ニット商品の9割程度が機械生産といわれていますが、特にシェットランド・レースにおいては、どれだけ時代が進化しても、人の手でしか編めないパターンがあるということも特筆すべき点の一つでしょう。

極細糸で編まれたベール。対角線上に体を配し、纏うことで、より分量感が出、ドレープやトレーンの表情が美しい

防寒も兼ねて少し太めの糸で編まれたハップ（Hap）を草地の上に木の杭で張っている。この張り方は、木の枠に張るより大きさを自由に広げられるので、普段使い用に比較的大量に作られたレース等には好まれた方法であった

王族へ献上されたファイン・レース。写っている3人の名前は残されていないが、レース製作に係わりのある女性かもしれない

シェットランド・シープの原種は、新石器時代には既に存在しており、8 世紀頃には、羊が多く生息していることから、ヴァイキングが「羊の島（フェア・アイル）」と呼んだという記述も残っています。厳しい気候の中で、わずかな牧草や、時には海辺に赴き海藻まで食べ育つシェットランド・シープの毛の繊維は、強さと柔らかさを兼ね備え、また軽く暖かなので、現在でも人気のあるウールの一つです。極上のシェットランド・レースに使われる羊毛は、毛の抜けやすい夏の時期に、最も光沢があり、毛の状態がよい耳の後ろと首の周り部分から、最大限の繊維の長さを確保するために、手でむしり取っていました。注意深く最良のウールを集めることは、毛を刈るよりも随分と時間と労力を要したということです。より強さを残すために、時には少しの油分を残した最上のウールは、幾つもの工程を経て「蜘蛛の糸」のように紡がれましたが、熟練した紡ぎ手の多くは年配者が多かったようで、彼女たちは、より細く丈夫な糸を紡ぐための手を守るために、家事はせずに手紡ぎに徹しました。約180センチ（6フィート）四方の精緻な柄のレースに約 2414 メートル（1.5 マイル）の糸が使われ、重さは僅か約70グラム（2.5 オンス）であったという記録も残っています。いわゆる「蜘蛛の巣」と呼ばれる最も繊細なレースであり、結婚指輪の中を通り抜けることから、「ウェディング・リング・ショール」と呼ばれている類のものは、このようであったと思われます。極細タイプのレースに限らず、防寒も兼ねた少し太めの糸で編まれたレースも実用的で人気がありました。

現在では、レース糸の生産も機械化にとって変わりましたが、2010年には、より高品質なシェットランド・レース糸の再生開発プロジェクトが立ち上げられ、いにしえの雰囲気を味わうことのできる糸への挑戦もなされています。とはいえ、シェットランド・ヤーンの品質において、英国羊毛公社の認可が下りているのは 1 社のみで、愛好家によって高品質の維持を期待する声が続いています。

フェアアイル・ニットがフェア島発祥とされているように、シェットランド・レースでは、諸島北端のアンスト島が特に有名です。ここでは数々の複雑で精巧なパターンが生み出され、卓越した技術で極細の糸を紡いでいたことから、特に「アンスト・レース」と呼ばれ、海を渡り人気を博し、王族へ献上されたレースの多くもこの地からといわれています。最もニットでの手産業が盛んだった時代にあたる1861年の一斉調査では、アンスト島内だけで 150 人以上のショール・ニッターと 92 人の紡ぎ手がいたことがわかっています。

フェアアイル・ニットと同様、レースも効率よく編むために、金属の針とニッティング・ベルトという革製でできた楕円形のピン・クッション型の物を脇腹に結び、金属の針をそれに刺して安定させ、編んでいるときに編み目に針が入りやすいように、反対の脇腹に編み地を引っ張るように固定していたようです。これら編み方に関しての補足的情報やアドヴァイス、シェットランド・レースの特徴と構造、仕上げ方、その他の留意点等については、《編み始める前に》と併せて読んでください。

参考文献／『Heirloom Knitting』Sharon Miller 著、『The Art of Shetland Lace』Sarah Don 著、『A Legacy of Shetland Lace』Shetland Guild of Spinners, Knitters, Weavers and Dyers, 2012、『Traditional Shetland Scarves and Shawls』Amalgamated Press Ltd.
参考 DVD／「Shetland Fine Lace」Shetland Amenity Trust 2011
Photo 協力／Shetland Museum and Archives

木枠に張られたファイン・レースの他、様々なニット製品が水通しの後、張られている

木枠にハップ（Hap）を張り仕上げている様子。産業としておびただしい数のニット製品が作られていたことが垣間見られる

複雑なパターンを生み出したことや、王族への献上品の製作に携わるなど、極上のレースで名声を高めたサザーランド（Sutherland）一家の様子。左から、カーディング（梳綿（そめん））、紡ぎ、ニットをしている様子が窺（うかが）える

1 →p.3

リング（輪）のリボン

【材料】シェットランド製レース糸（1 プライ・カブウェブ）の white 5g
【用具】0 号棒針
【ゲージ】整形、仕上げ後 44 目 57 段が 10cm 四方
【出来上り寸法】整形、仕上げ後　幅約 2.5cm、長さ約 120cm
【編み方ポイント】
各段、編始めのすべり目は、編み糸を向う側に置いて、1 目めを表目を編むように針を入れてすべり目にします。

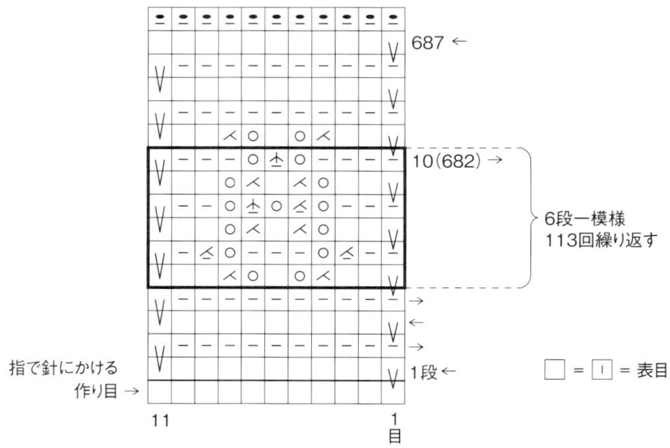

2 →p.4

ヘリンボーン

【材料】イサガー　アルパカ 2 の薄グレー（2s） 155g
【用具】4 号棒針
【ゲージ】整形、仕上げ後 24 目 44 段が 10cm 四方
【出来上り寸法】整形、仕上げ後　幅約 38cm、長さ約 156cm
【編み方ポイント】
別鎖の作り目から始める際に、後から伏止めをするための糸を 2m 程長めに残しておきます。各段、編始めのすべり目は、編み糸を向う側に置いて、1 目めを表目を編むように針を入れてすべり目にします。

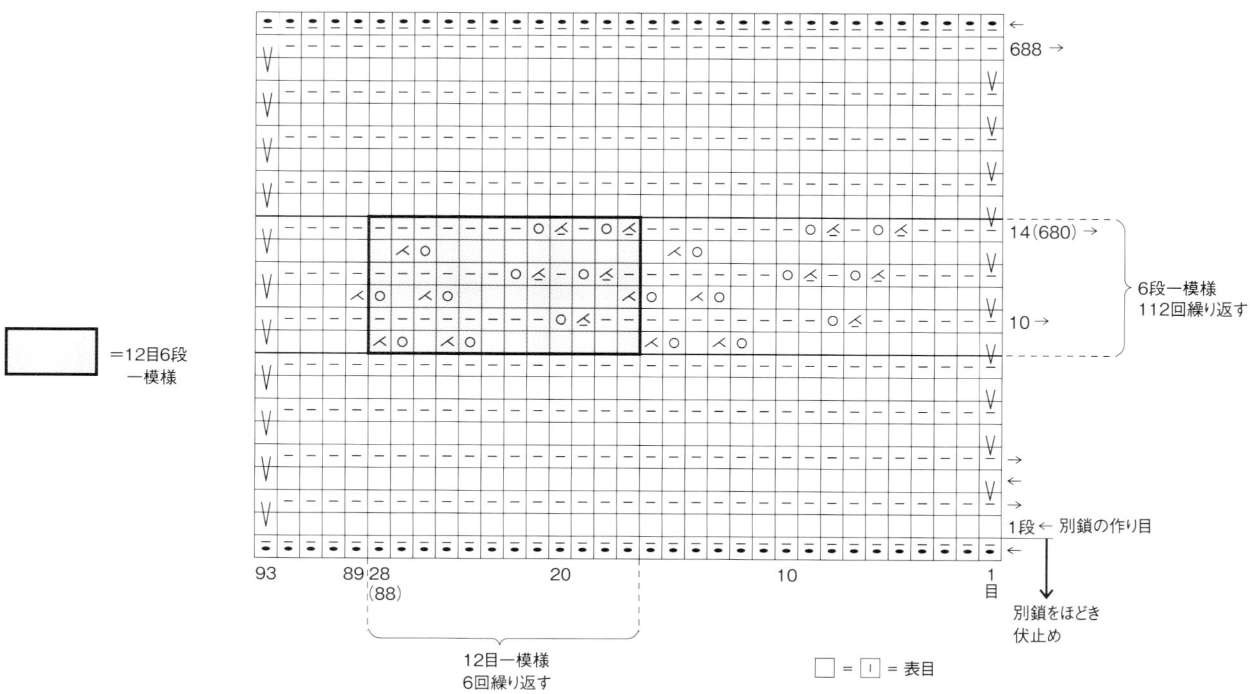

3 →p.6

もみの木の実

【材料】ホビーラホビーレ　ソワブリエの
ラメ入り白（04）240g
【用具】5号棒針
【ゲージ】整形、仕上げ後24目32段が
10cm四方
【出来上り寸法】整形、仕上げ後　幅約
50cm、長さ約156cm

【編み方ポイント】
別鎖の作り目から始める際に、後から伏
止めをするための糸を2.6m程長めに残
しておきます。整形、仕上げは糸の風合
いを損ねないようにやや軽めに張ります。

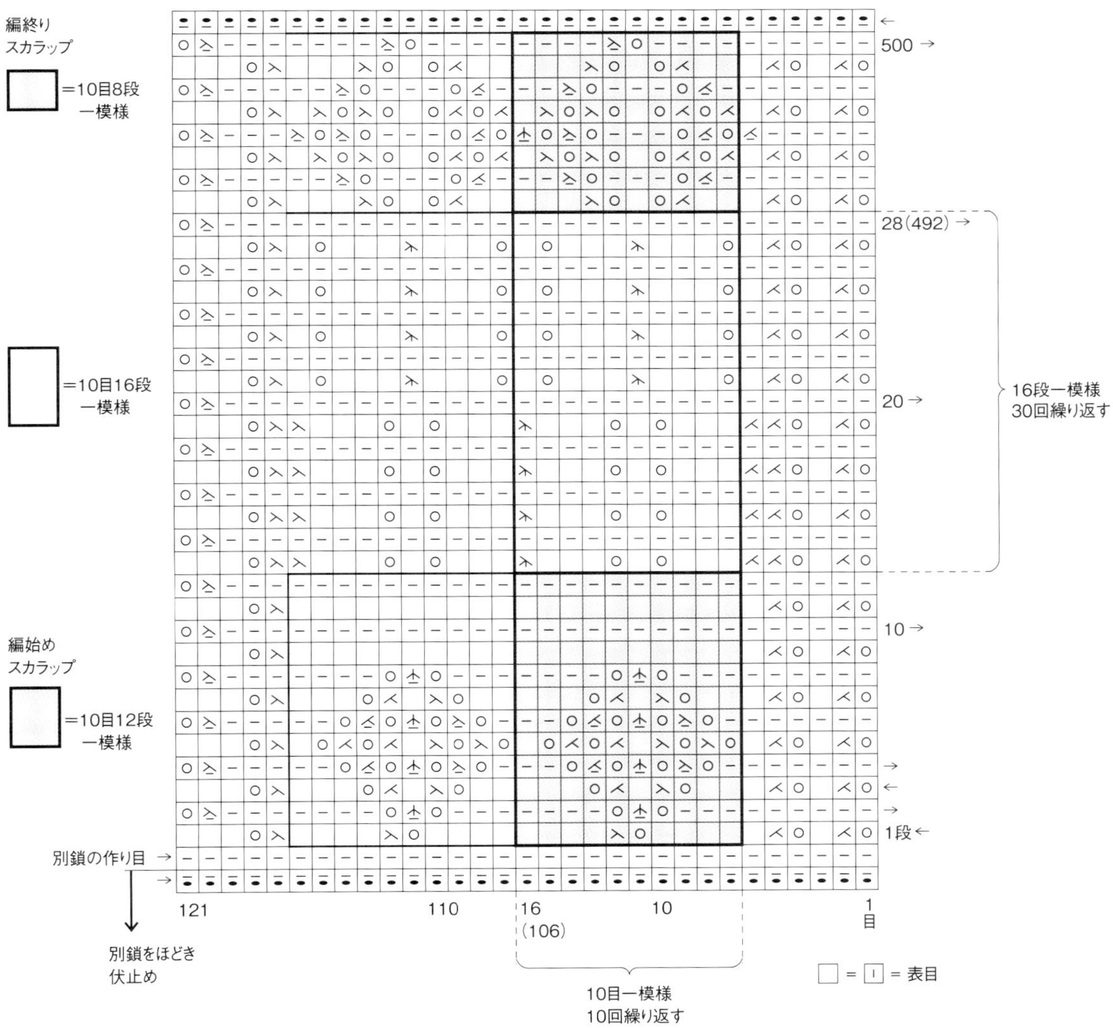

P.57へ続く

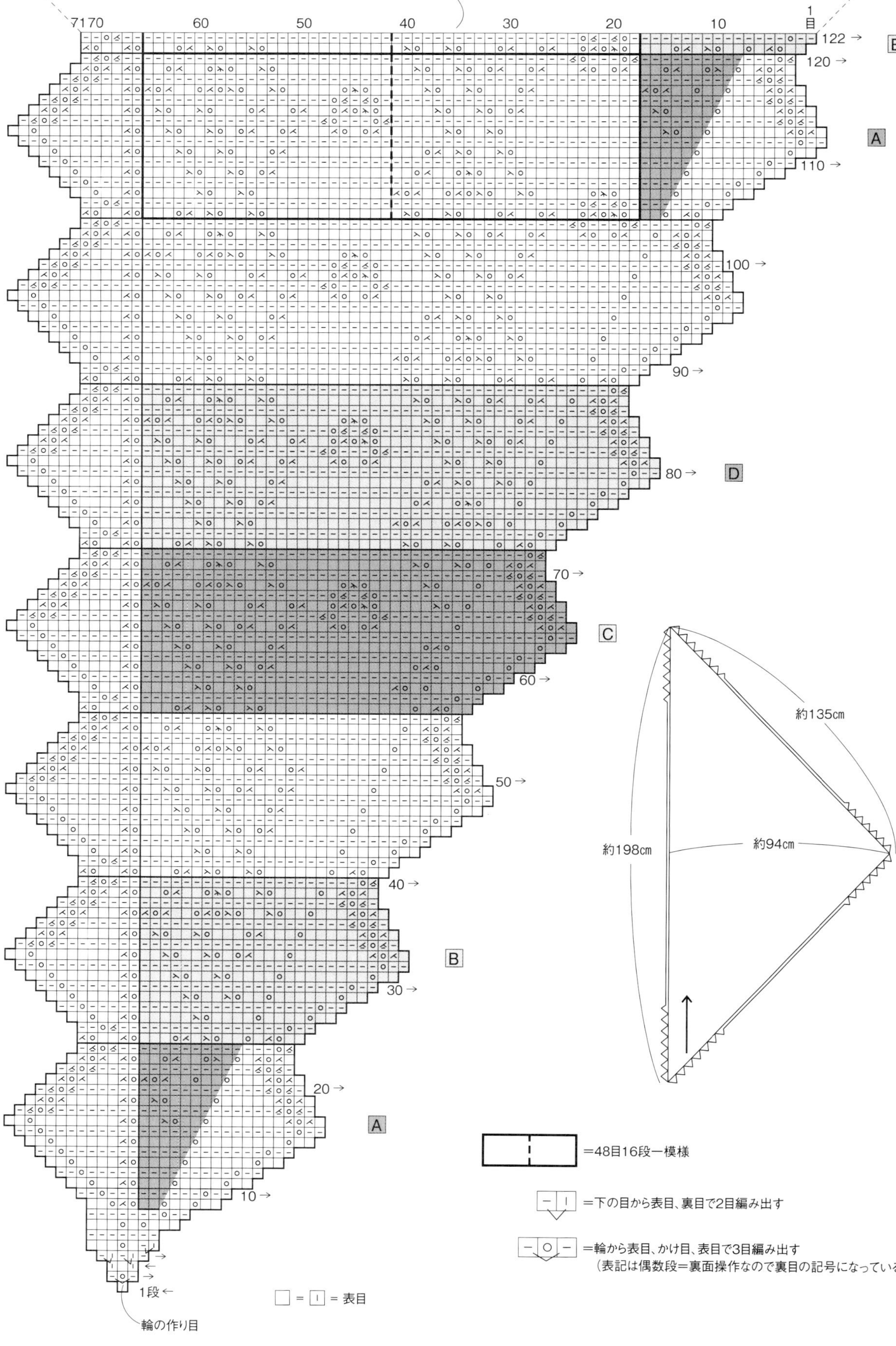

＝48目16段一模様

＝下の目から表目、裏目で2目編み出す

＝輪から表目、かけ目、表目で3目編み出す
（表記は偶数段＝裏面操作なので裏目の記号になっている）

□ ＝ Ｉ ＝ 表目

5 →p.10

ダイヤモンド・チェーンと バラのつぼみ

【材料】 イサガー　アルパカ2の薄茶（7s）245g
【用具】 5号棒針
【ゲージ】 整形、仕上げ後22目38段が10cm四方
【出来上り寸法】 整形、仕上げ後のサイズは図を参照してください
【編み方ポイント】
輪を作り、3目編み出して編み始めます。376段までは、増し目で、377段からは減し目で編み進みます。
整形、仕上げは糸の風合いを損ねないようにやや軽めに張ります。

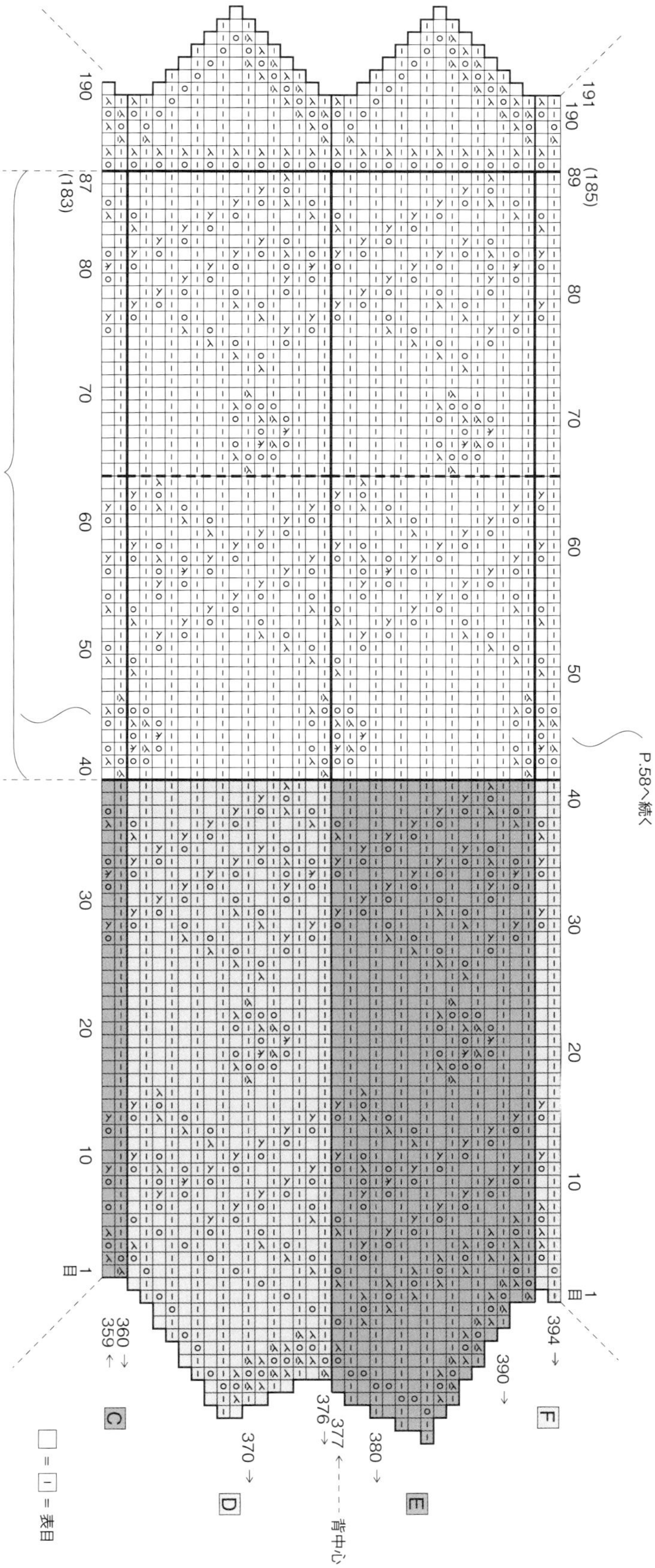

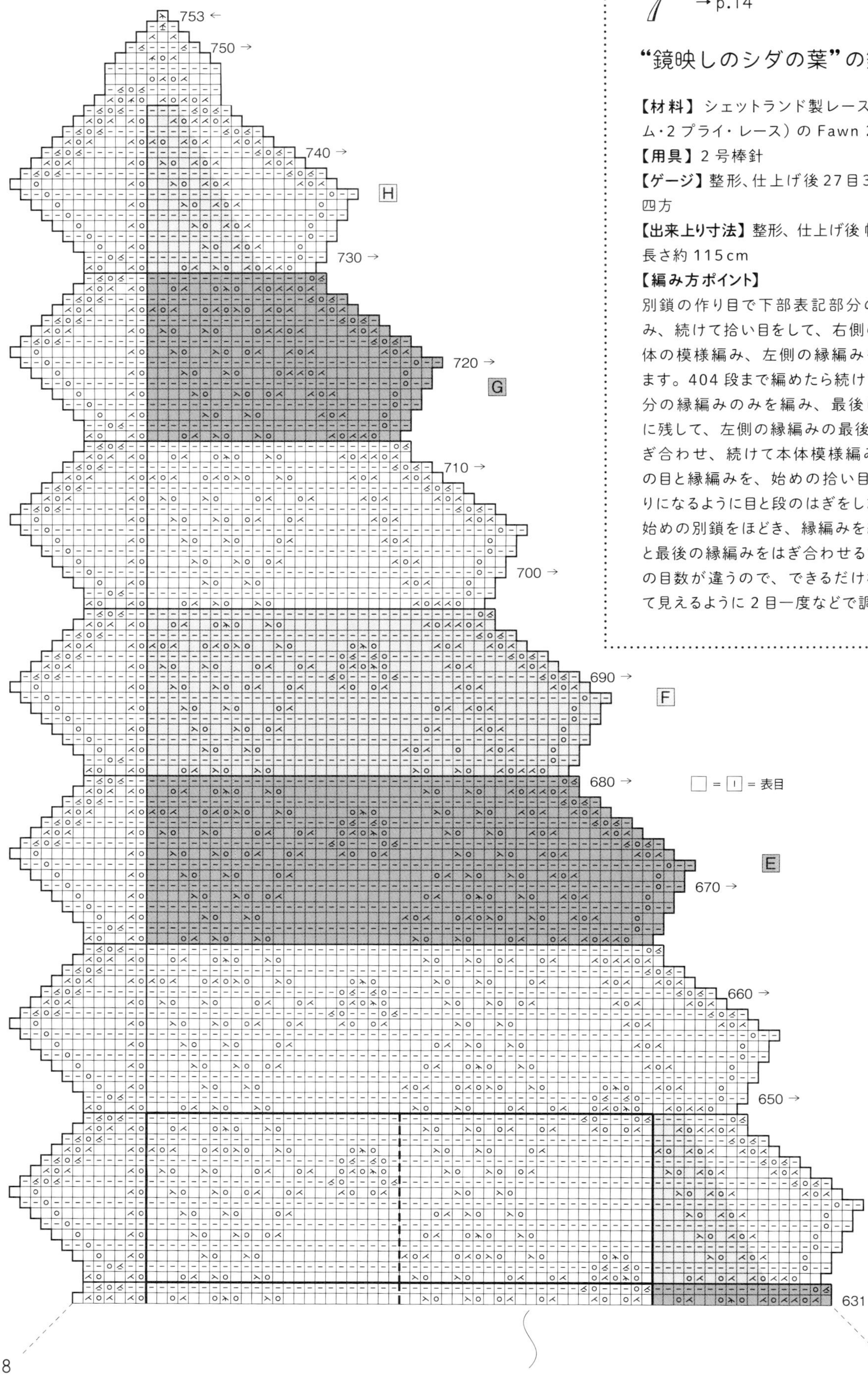

7 →p.14

“鏡映しのシダの葉”の鏡映し

【材料】 シェットランド製レース糸（スプリーム・2プライ・レース）のFawn 25g

【用具】 2号棒針

【ゲージ】 整形、仕上げ後27目37段が10cm四方

【出来上り寸法】 整形、仕上げ後 幅約17.5cm、長さ約115cm

【編み方ポイント】

別鎖の作り目で下部表記部分の縁編みを編み、続けて拾い目をして、右側の縁編み、本体の模様編み、左側の縁編みを続けて編みます。404段まで編めたら続けて上部表記部分の縁編みのみを編み、最後は糸端を長めに残して、左側の縁編みの最後の段の目とはぎ合わせ、続けて本体模様編みの最後の段の目と縁編みを、始めの拾い目と同様の目なりになるように目と段のはぎをします。

始めの別鎖をほどき、縁編みを編み出す部分と最後の縁編みをはぎ合わせる箇所は、双方の目数が違うので、できるだけ柄がつながって見えるように2目一度などで調整します。

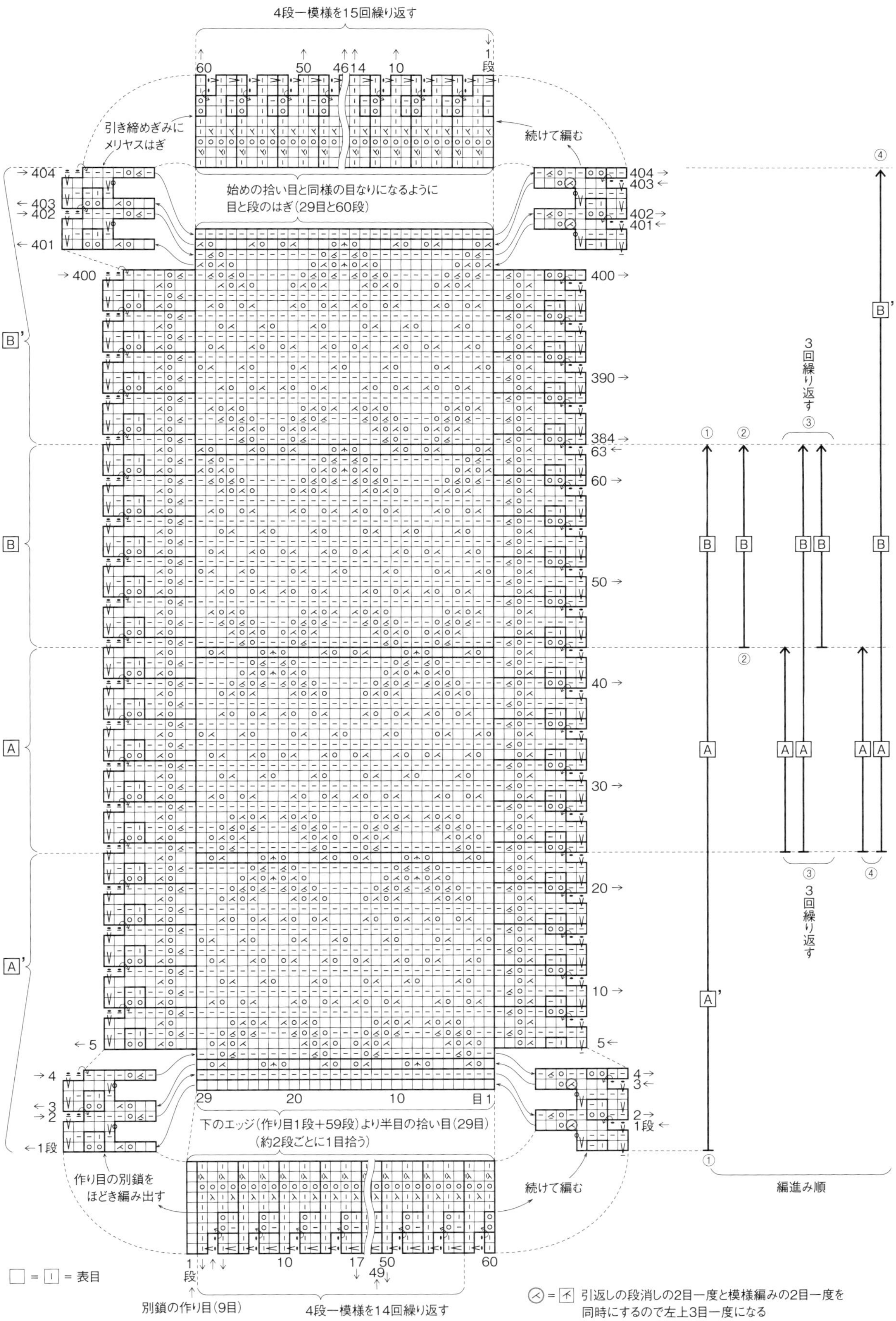
4段一模様を15回繰り返す
引き締めぎみにメリヤスはぎ
続けて編む
始めの拾い目と同様の目なりになるように目と段のはぎ（29目と60段）
下のエッジ（作り目1段＋59段）より半目の拾い目（29目）（約2段ごとに1目拾う）
作り目の別鎖をほどき編み出す
続けて編む
別鎖の作り目（9目）
4段一模様を14回繰り返す
3回繰り返す
編進み順
□ = [|] = 表目
⊗ = [⋏] 引返しの段消しの2目一度と模様編みの2目一度を同時にするので左上3目一度になる

P.61へ続く

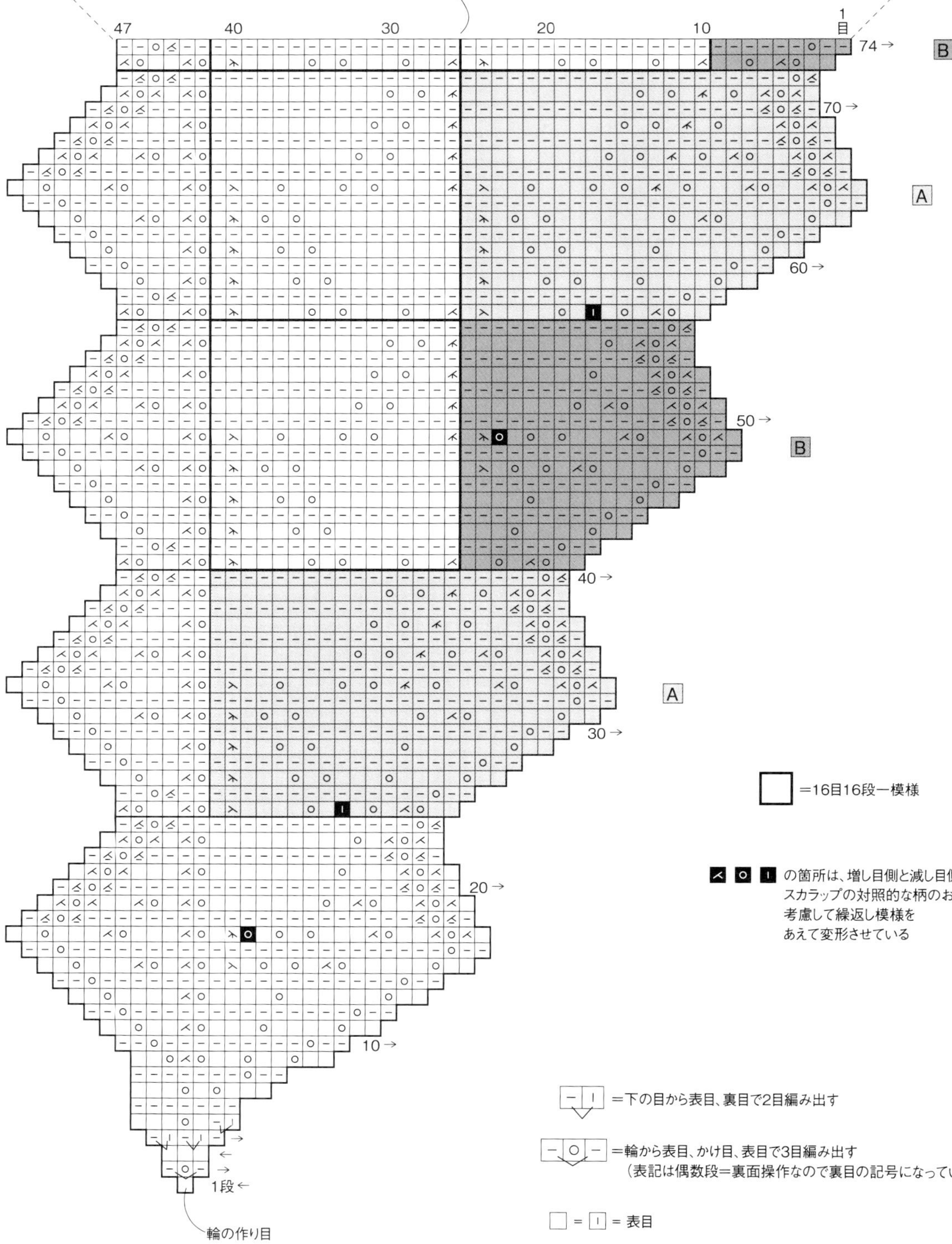

＝16目16段一模様

の箇所は、増し目側と減し目側のスカラップの対照的な柄のおさまりを考慮して繰返し模様をあえて変形させている

＝下の目から表目、裏目で2目編み出す

＝輪から表目、かけ目、表目で3目編み出す
（表記は偶数段＝裏面操作なので裏目の記号になっている）

＝ ＝ 表目

4 →p.8

すずらん

【材料】 イサガー　アルパカ２の薄緑（46）95g
【用具】 5号棒針
【ゲージ】 整形、仕上げ後25目32段が10cm四方
【出来上り寸法】 整形、仕上げ後のサイズは図を参照してください
【編み方ポイント】
輪を作り、3目編み出して編み始めます。232段までは増し目で、233段からは減し目で編み進みます。
整形、仕上げは糸の風合いを損ねないようにやや軽めに張ります。

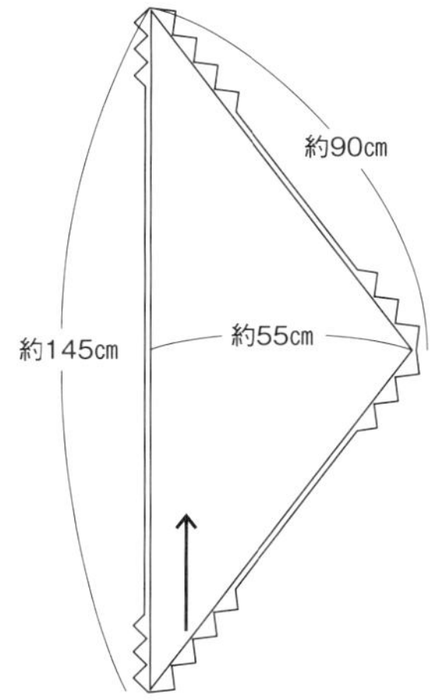

□ = I = 表目

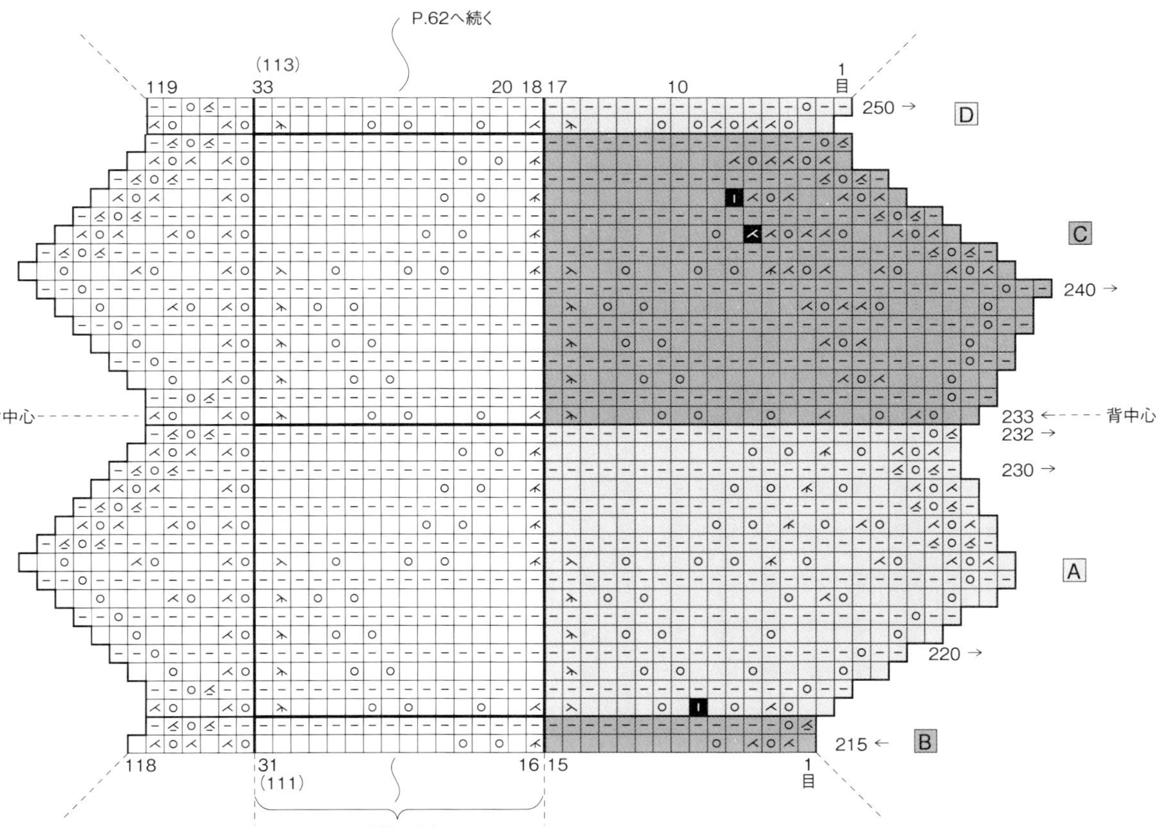

12 →p.24

波模様のフードつきのケープ

【材料】 シェットランド製レース糸（2プライ・レース） の薄グレー（203）230g
【用具】 5号棒針、2/0号かぎ針
［付属］ 直径1.5cmのボタン3個
【ゲージ】 26.5目40段が10cm四方
【出来上り寸法】 着丈約57cm、裾回り約152cm、首回り約46cm、フード丈約33.5cm

【編み方ポイント】
裾から編み始め、衿ぐり位置で編み地の伸止めのためにいったん伏止めにし、改めて同数の目数を拾い、フードを編み出します。
フードのトップは編み地をくずさないようにかぶせはぎにします。
縁編みは前立てとフードを続けて編みつけます。
整形、仕上げは、編み地の風合いを損ねないようにスチームなどで整え、ほぼ編んだままの表情で仕上げます。

□ = ｜ = 表目

⋌ ▮ の箇所は、増し目側と減し目側のスカラップの対照的な柄のおさまりを考慮して繰返し模様をあえて変形させている

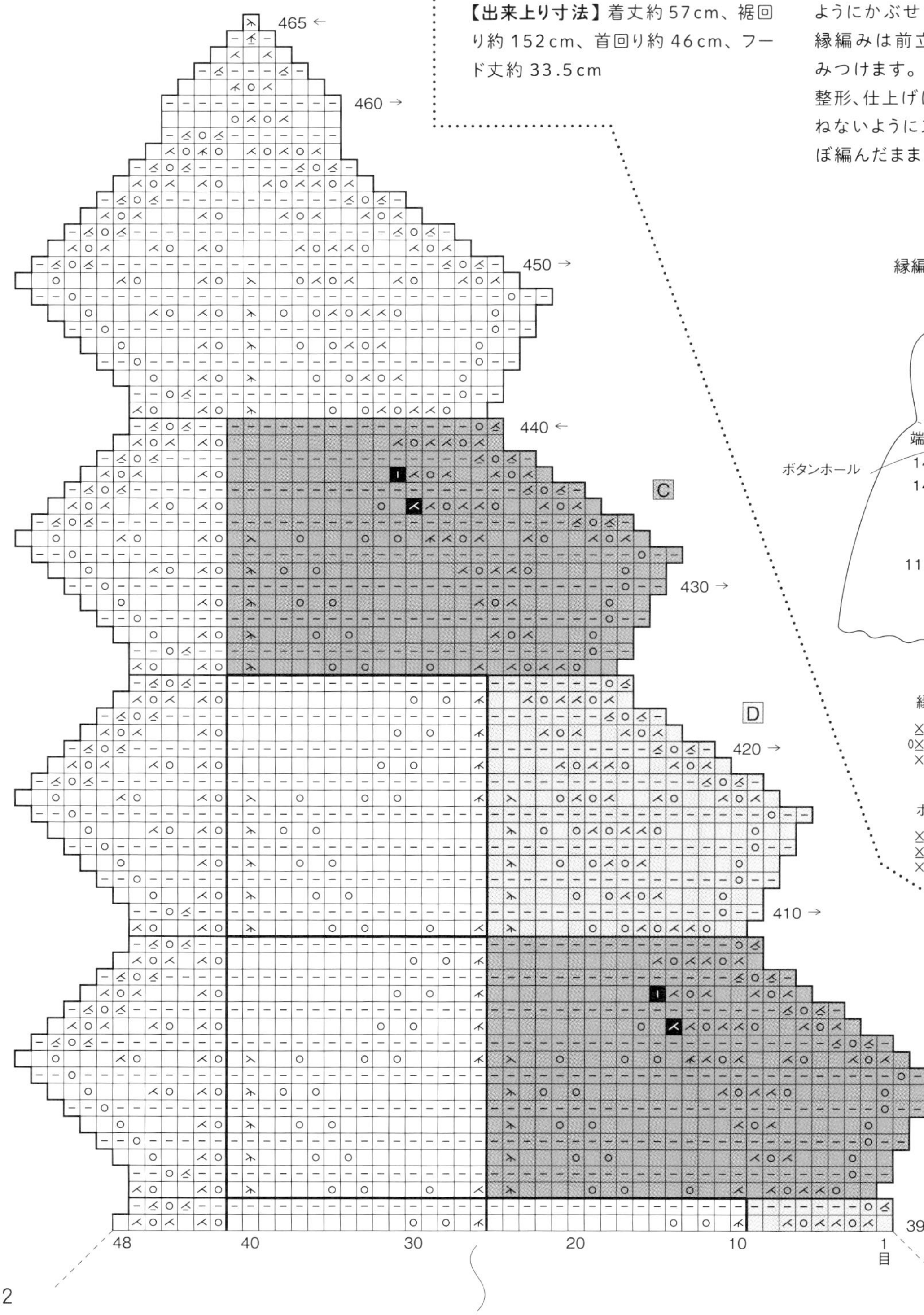

縁編み（2/0号かぎ針）

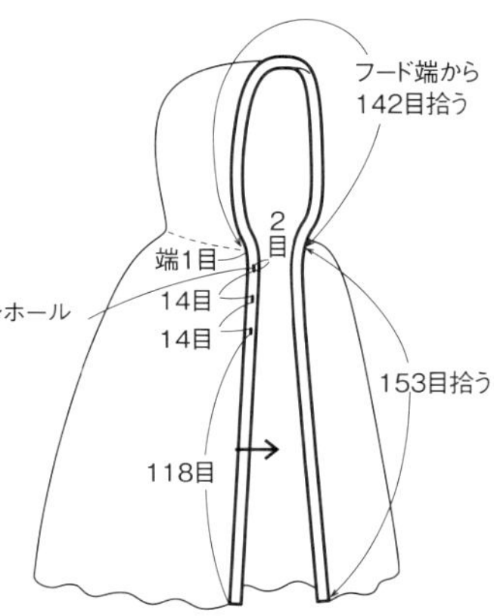

縁編み

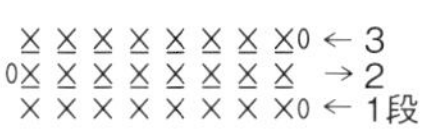

ボタンホール

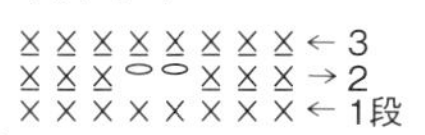

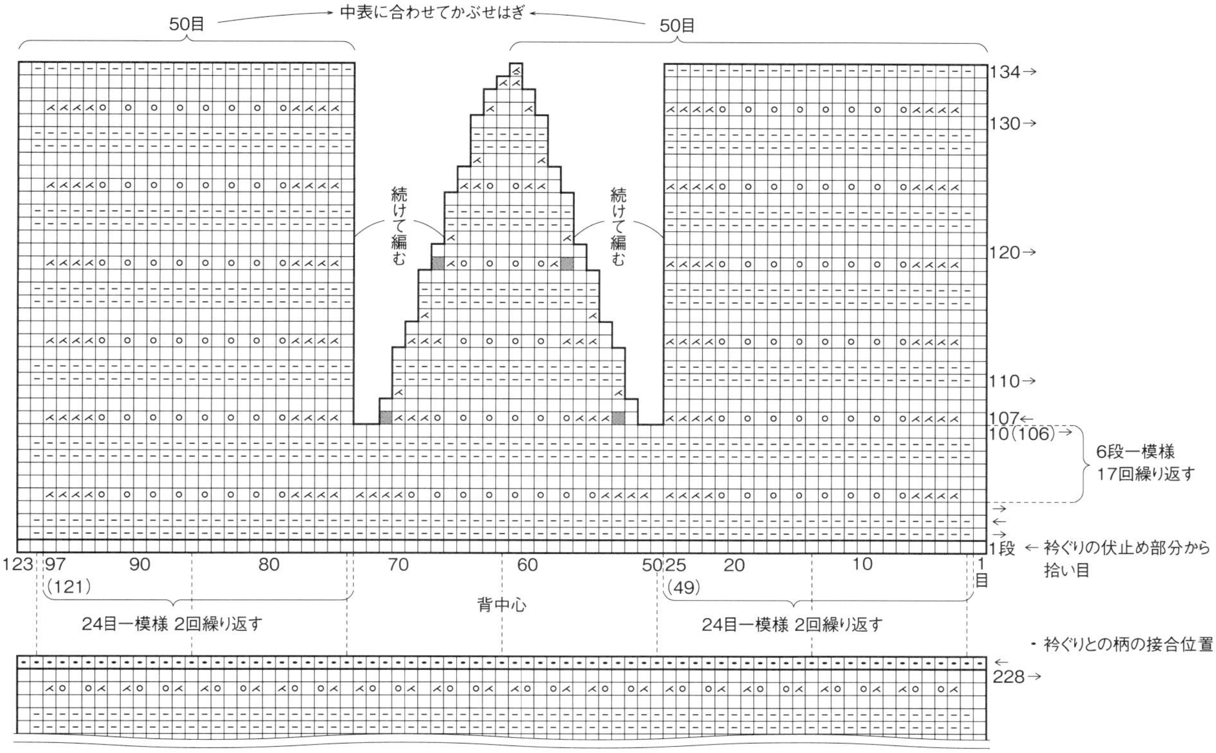
中表に合わせてかぶせはぎ
50目
50目
134→
130→
120→
110→
107←
10(106)→
6段一模様
17回繰り返す
1段 ← 衿ぐりの伏止め部分から
拾い目
123 97 90 80 70 60 50 25 20 10 1目
(121)
(49)
背中心
24目一模様 2回繰り返す
24目一模様 2回繰り返す
・衿ぐりとの柄の接合位置
228→
続けて編む
続けて編む

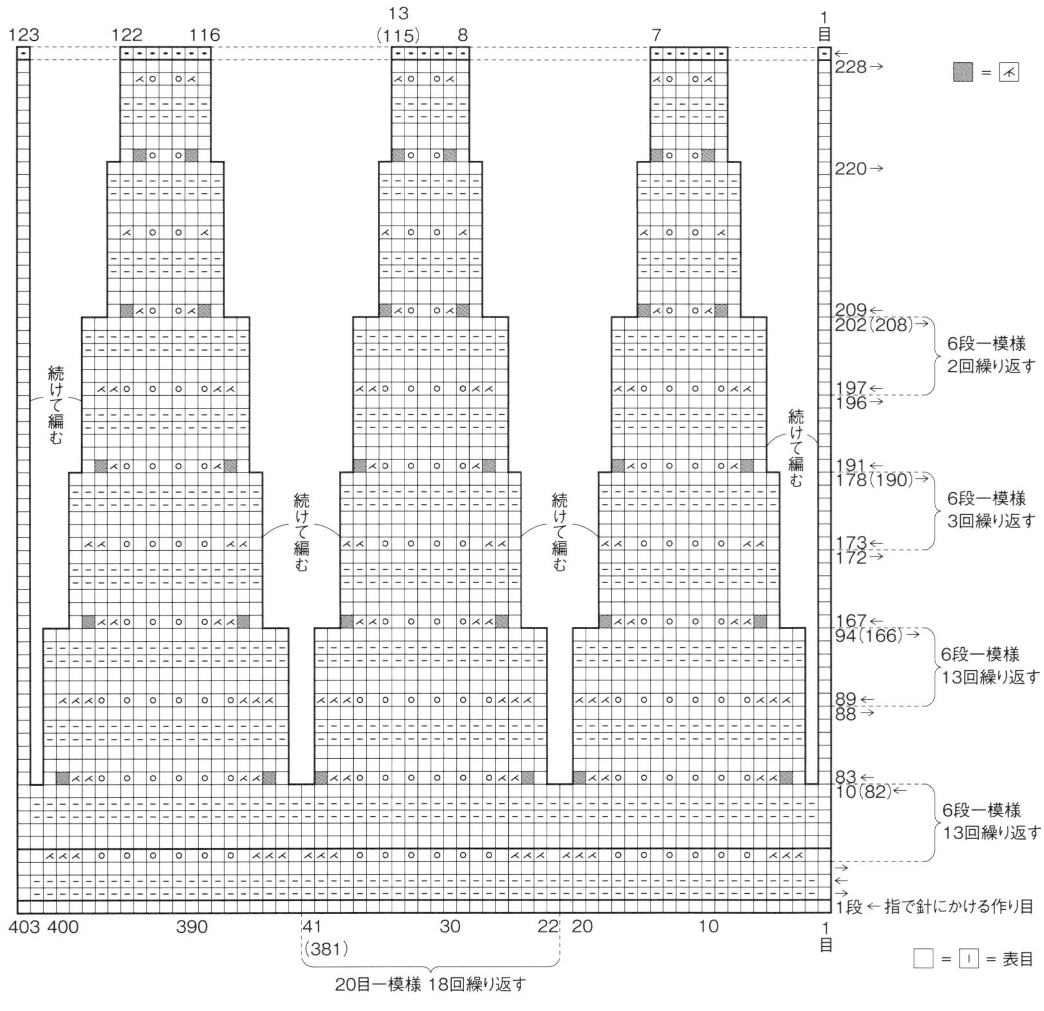
123
122
116
13
(115)
8
7
1目
228→
220→
209←
202(208)→
6段一模様
2回繰り返す
197←
196→
191←
178(190)→
6段一模様
3回繰り返す
173←
172→
167←
94(166)→
6段一模様
13回繰り返す
89←
88→
83←
10(82)←
6段一模様
13回繰り返す
1段 ← 指で針にかける作り目
403 400 390 41 30 22 20 10 1目
(381)
20目一模様 18回繰り返す
続けて編む
続けて編む
続けて編む
続けて編む
□ = | = 表目

6 →p.12

波と貝（フードつき）

【材料】 オステルヨートランド・ヴィーシェーの薄グレー（VITGRA02） 300g
【用具】 6号棒針
【ゲージ】 マフラー部分は平均25目36段、フード部分は25目28段が10cm四方
【出来上り寸法】 図を参照してください
【編み方ポイント】
別鎖の作り目で、マフラー部分裾から編み始めます。9段めでダブル（袋状）に編み合わせ、減し目をしながら編み進めます。マフラー部分からフード部分へ移動するところでは、マフラー部分（左右）の伏止めに加え、衿ぐり位置で編み地の伸止めのため、いったん伏止めにします。①途中で折り返し、伏止めでいったん終え、②改めて糸をつけて編み進め、端で折り返し伏止めで終え、③新しく糸をつけ、目数を整え、フード部分に進みます。マフラー部分の波状模様の凹とフード部分の貝模様の凸がぴったり合う配置になっています。ドライブ編みで貝模様を作り、フードのトップの後ろ角の減し目は2模様分で1つの模様になるように減し目をし、かぶせはぎをします。編み地の風合いを損ねないように軽くスチームなどで整え、ほぼ編んだままの表情で仕上げます。

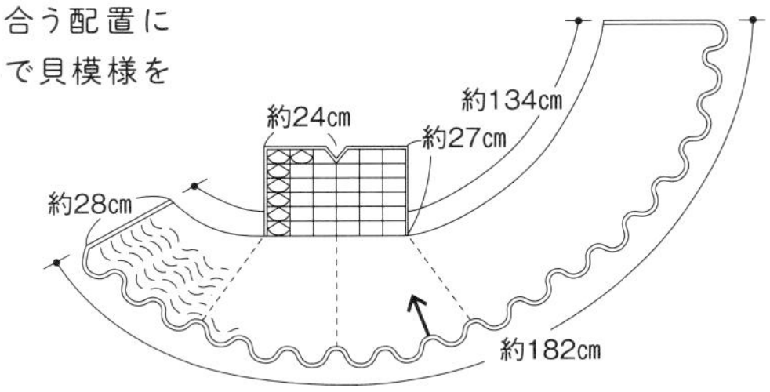

P.65へ続く

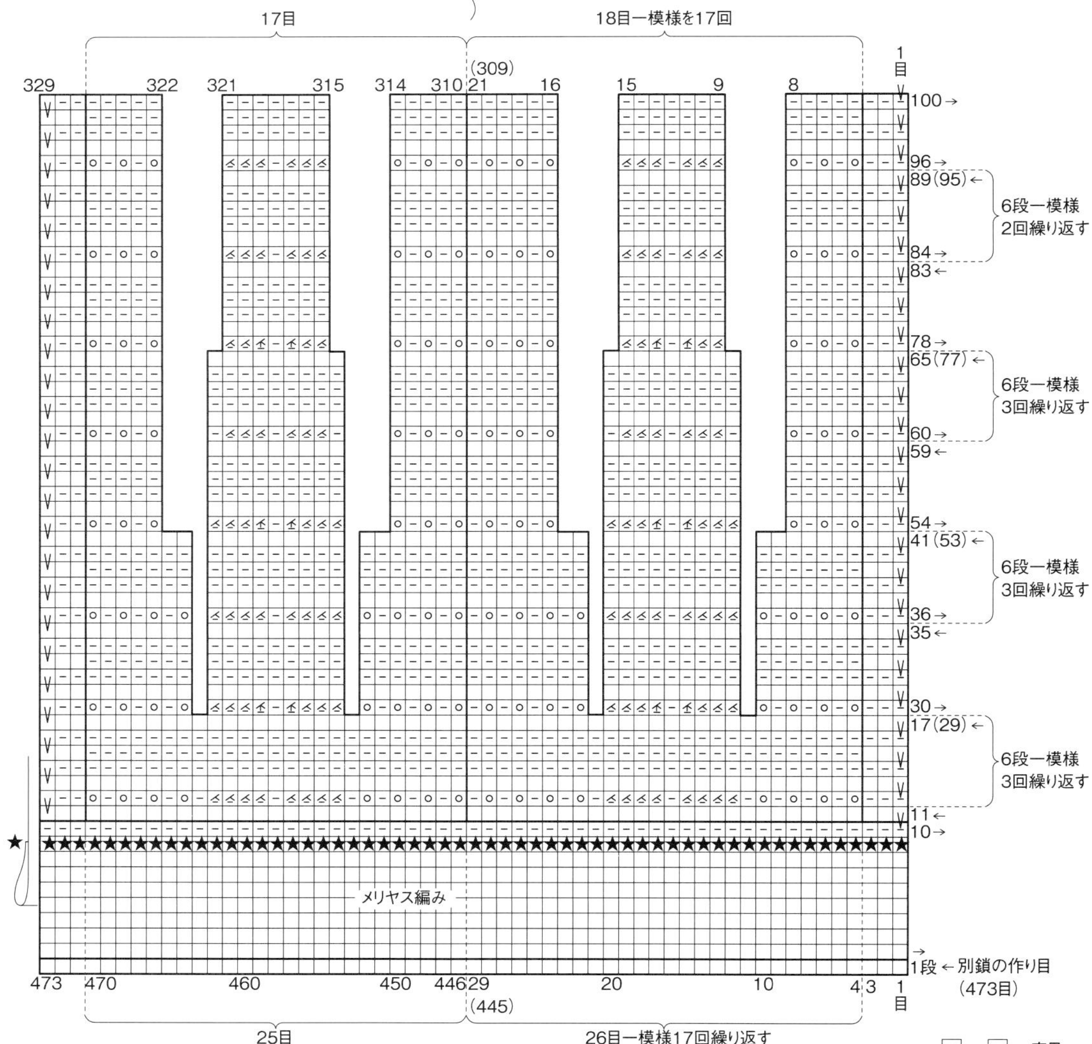

□ = Ⅰ = 表目

★ = 別鎖の作り目をほどき（別の針に戻す）9段めを編むときに裏に重ね合わせて左上2目一度の要領で編み、ダブル（袋状）にする

V と V = 各段編始めのすべり目は、編み糸を向う側に置いて、1目めを表目を編むように針を入れてすべり目にする

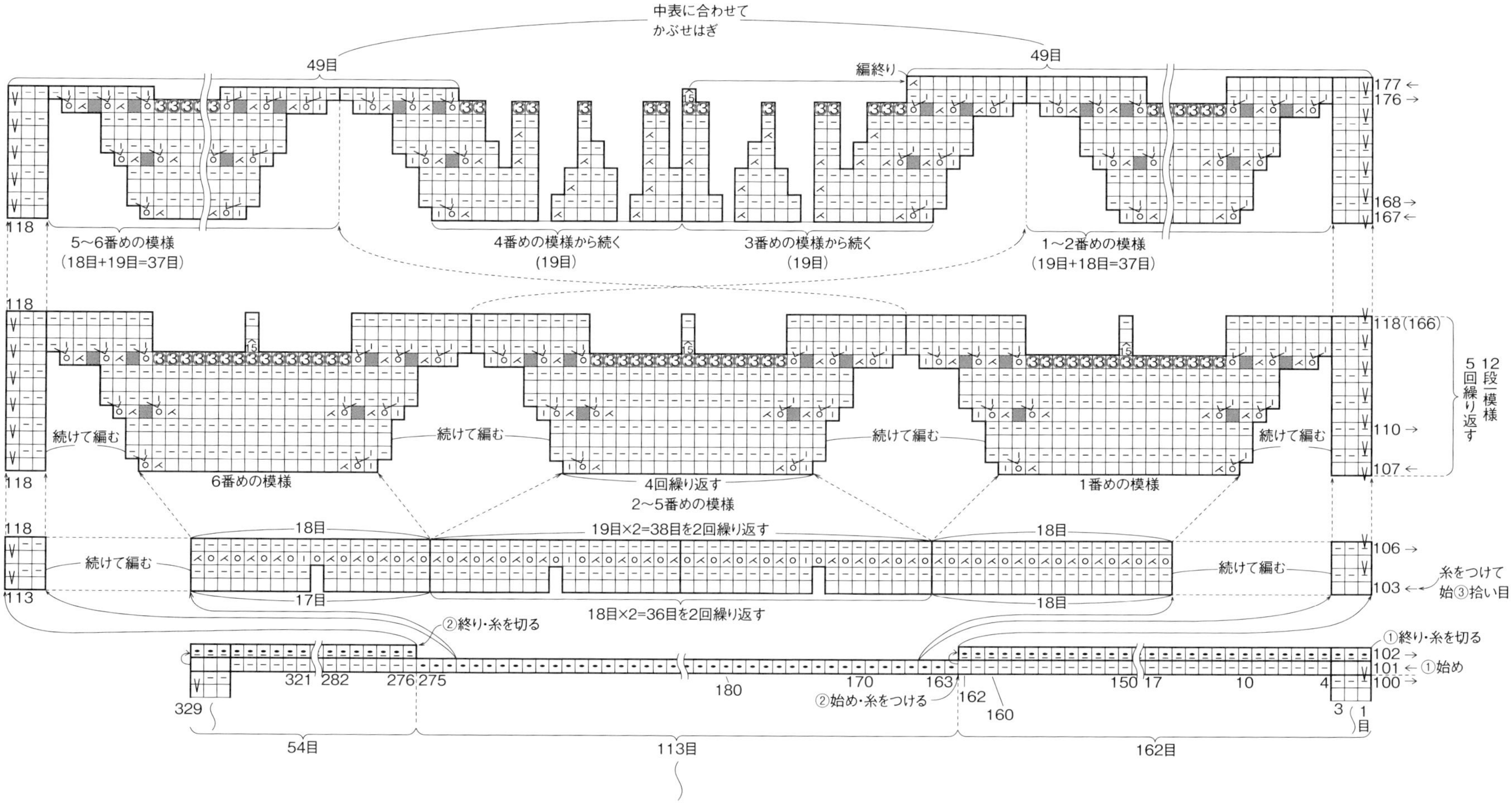

$\hat{15}$ = 15目一度
下の段で巻きつけた糸を
左針からほどきながら右針に移し、
15目ほどいたら左針に戻して、
15目まとめて一度(裏目)に編む
(表から見ると表目の15目一度になる)

③ = 3回巻きのドライブ編み
糸をかけ目のように
3回針に巻きつけ、表目で編む

= 下の段かけ目から
表目、裏目で2目編み出す

■ = 目のない部分

□ = ｜ = 表目

8 →p.16

バラの葉

【材料】ローワン　キッドシルク・ヘイズの薄ピンク（グレイス・580） 90g
【用具】5号、7号棒針
【ゲージ】ガーター編み（5号・2本どり）25目36段、縁編み（7号・1本どり）24目24段が10cm四方
【出来上り寸法】幅約37.5cm 長さ約140cm

【編み方ポイント】
輪の作り目から始め、5号・2本どりでガーター編みの本体を編みます。その後、縁編み（フリル）を別鎖の作り目から7号・1本どりで、背中心位置より本体に編みつないでいきます。基本的にガーター編み2段ごとに1回（2段）編みつけ、両端のカーブを曲がる部分は図に従い、段数を多く編みつなぎます。
ぐるりに編みつけたら最後に作り目の別鎖を解き、メリヤスはぎとガーターはぎをします。整形・仕上げ（張る、ピン打ちなど）はせず、そのまま編み地の表情を活かします。

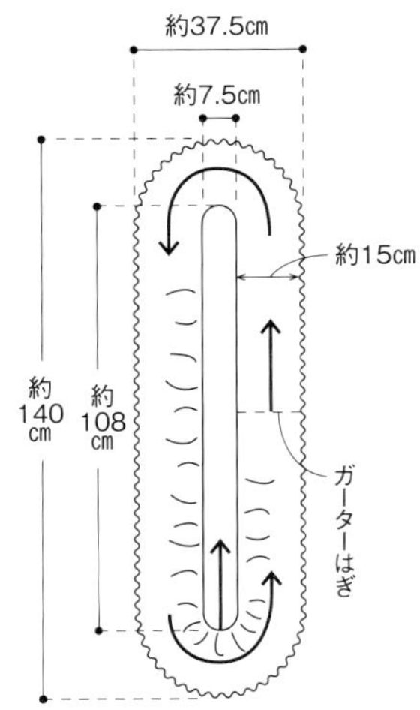

■=目のない部分
□=｜=表目
=下の段かけ目から表目、裏目で2目編み出す
5 =下の目から表目、裏目、表目、裏目、表目と5目編み出す

縁編み（フリル）　7号・1本どり

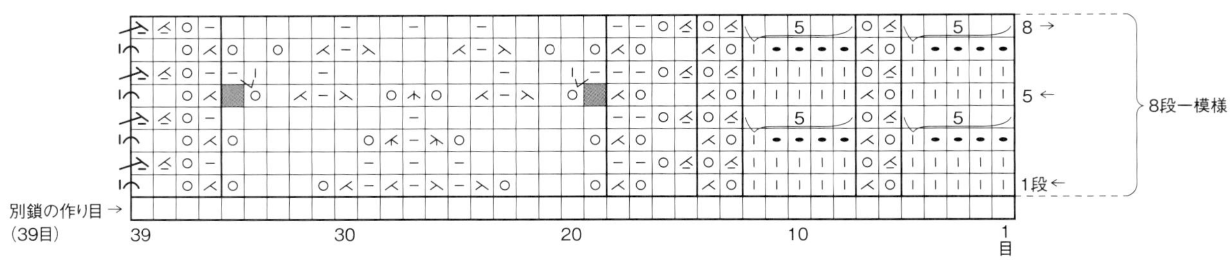

編始めと編終りのつなぎ方

編終りの最終段は 5 を編み出さずに編む。
編始めの別鎖の作り目をほどき、柄がつながるように、ガーターはぎではぎ合わせ、5目分は一度に針を入れメリヤスはぎにし、絞る

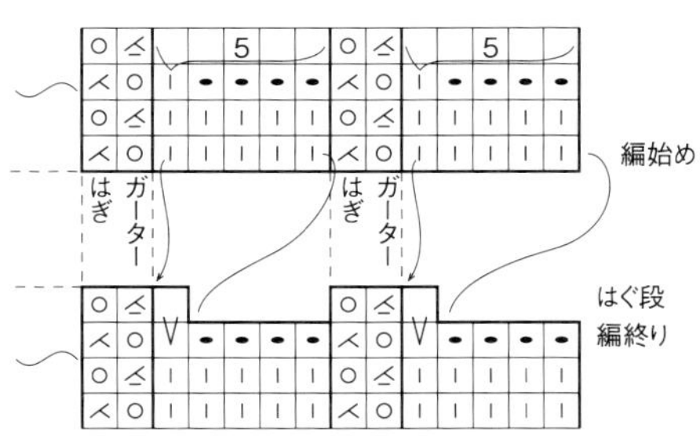

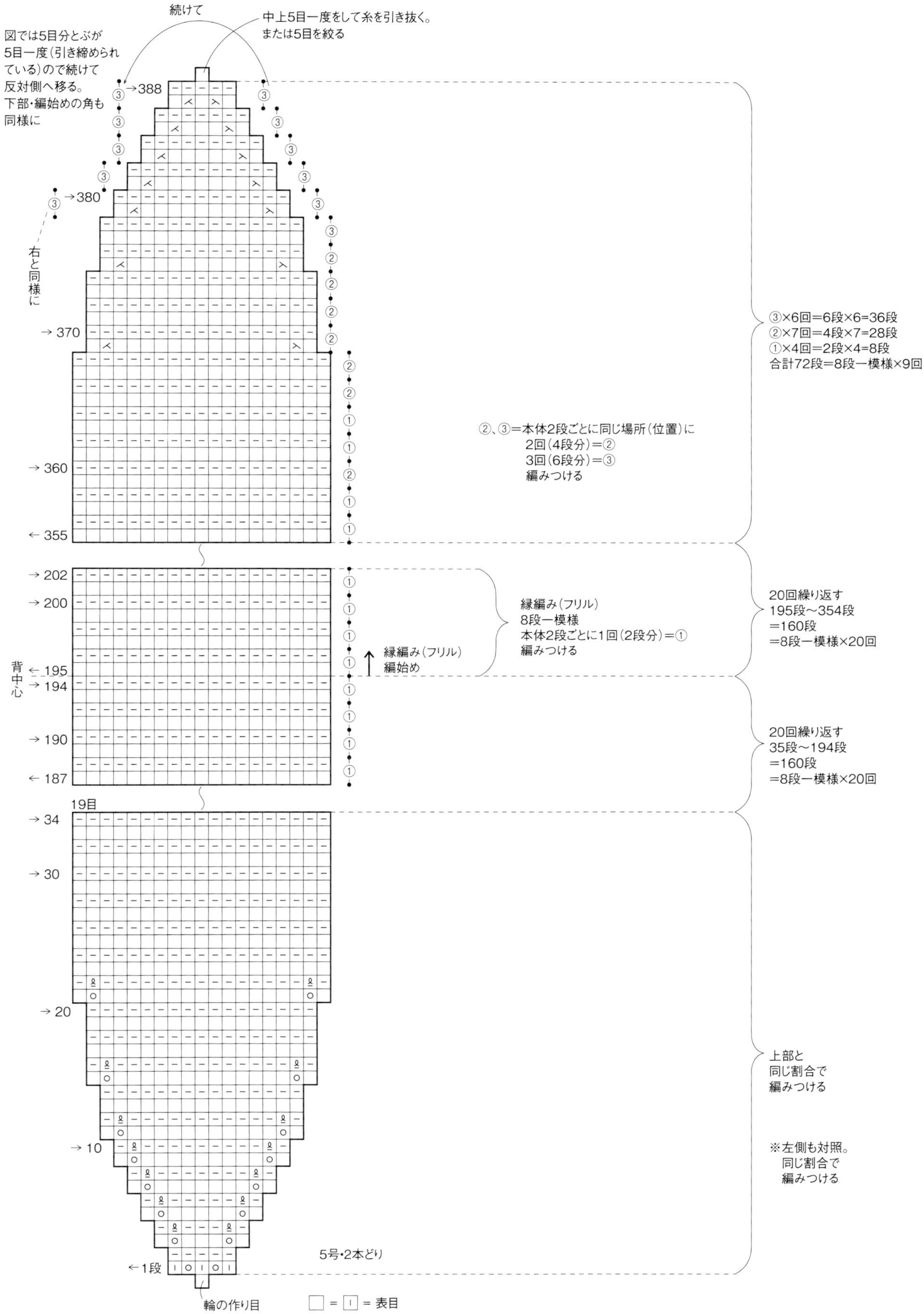

続けて
中上5目一度をして糸を引き抜く。
または5目を絞る
図では5目分とぶが
5目一度（引き締められ
ている）ので続けて
反対側へ移る。
下部・編始めの角も
同様に
右と同様に
→388
→380
→370
→360
←355
→202
→200
←195
→194
→190
←187
19目
→34
→30
→20
→10
←1段
輪の作り目
背中心
③×6回=6段×6=36段
②×7回=4段×7=28段
①×4回=2段×4=8段
合計72段=8段一模様×9回
②、③=本体2段ごとに同じ場所（位置）に
2回（4段分）=②
3回（6段分）=③
編みつける
縁編み（フリル）
8段一模様
本体2段ごとに1回（2段分）=①
編みつける
縁編み（フリル）
編始め
20回繰り返す
195段〜354段
=160段
=8段一模様×20回
20回繰り返す
35段〜194段
=160段
=8段一模様×20回
上部と
同じ割合で
編みつける
※左側も対照。
同じ割合で
編みつける
5号・2本どり
□ = Ⅰ = 表目

9 →p.18

ジグザグ

【材料】シェットランド製フェアアイル毛糸（2プライ・ジャンパー・ウエイト）の水色、薄緑のミックス（1280）210g
【用具】5号、4号、3号棒針
【ゲージ】整形、仕上げ後17目32段が10cm四方
【出来上り寸法】整形、仕上げ後のサイズは図を参照してください

【編み方ポイント】
別鎖の作り目で縁編みから始め（5号・p.71）、65模様編めたら右側の縁編みの1段めに続けて縁編みのすべり目の半目から1目拾い目をして（縁編み2段ごとに1目拾う） センターパネルを編み出します。拾い目に続き、左側の縁編みのため、別鎖をほどき、図に従って編み進めます。縁編みはすべり目をして引き返しながらガーター編み、センターパネルはメリヤス編みで図を参照して4か所で減し目をしながら両サイドの縁編みとセンターパネルを続けて編みます。途中で針を替えながら縁編み384段まで編めたらセンターパネルの目はなくなり、縁編みがきっちり納まります。それぞれの縁編みをガーターはぎにします。

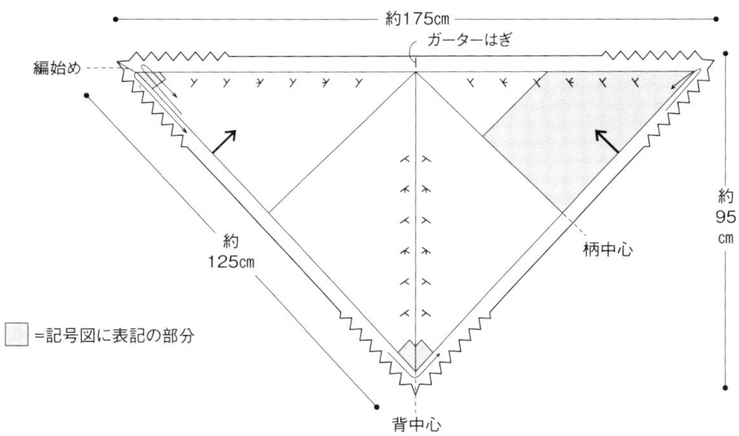

=記号図に表記の部分

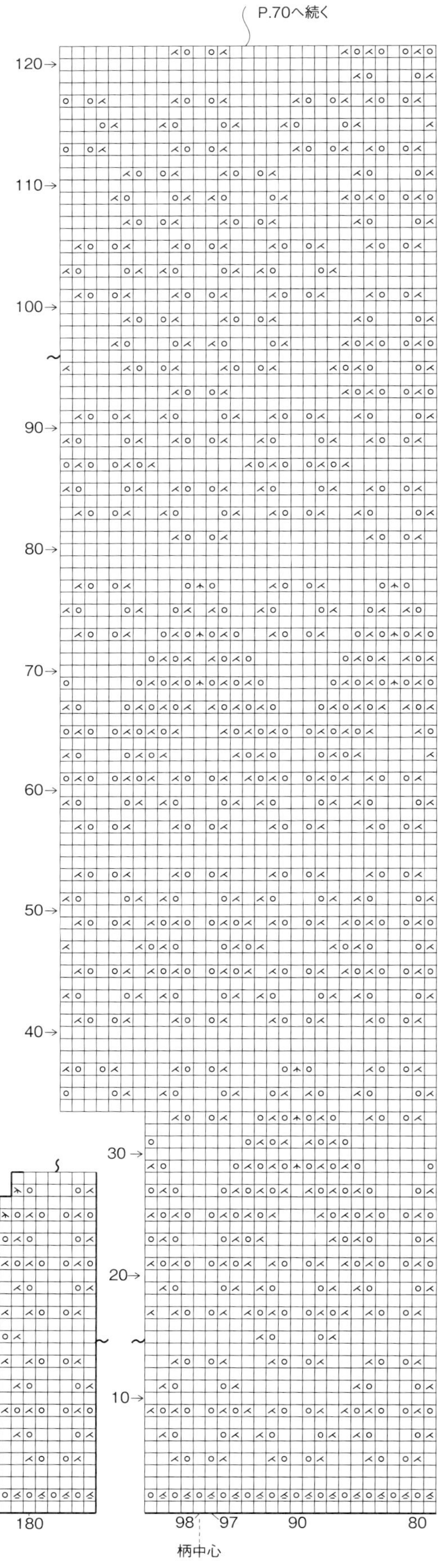

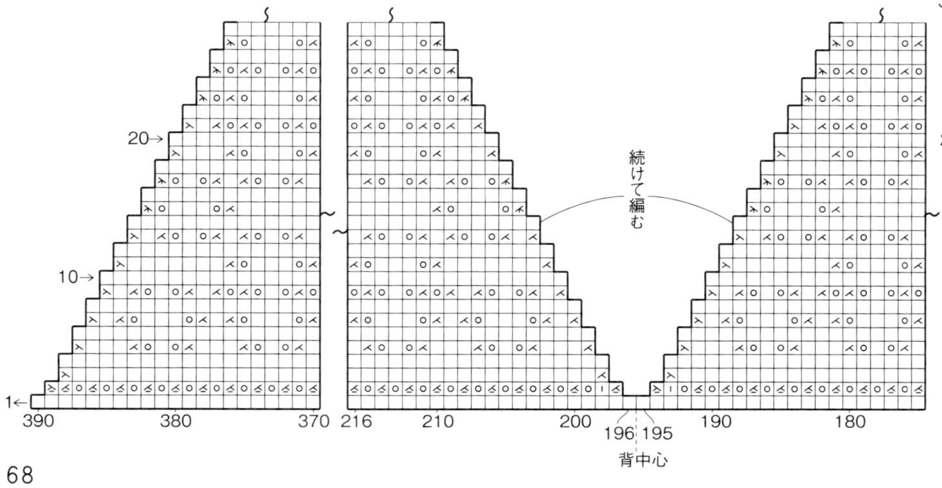

P.70へ続く

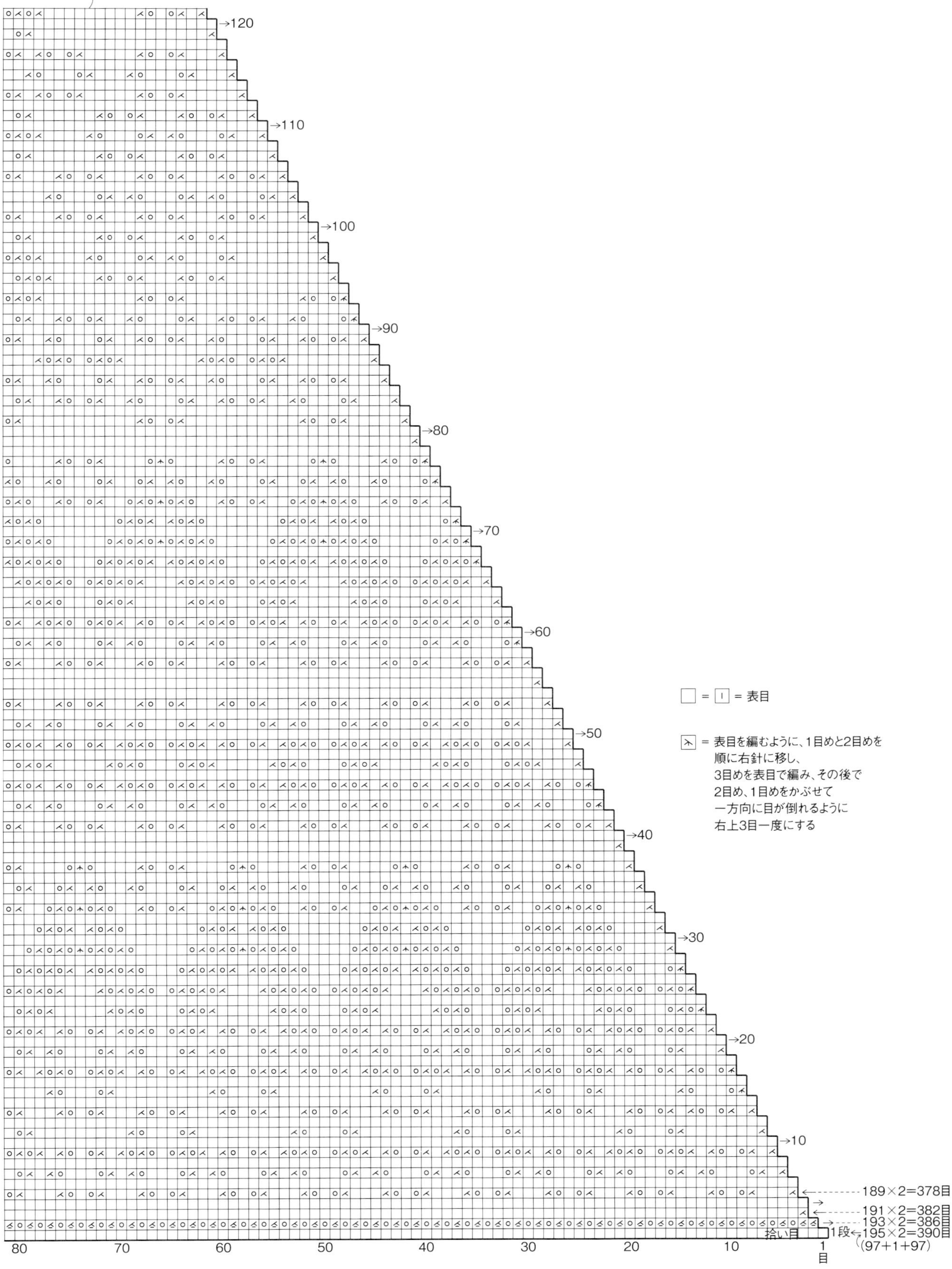

□ = | = 表目

⋏ = 表目を編むように、1目めと2目めを順に右針に移し、3目めを表目で編み、その後で2目め、1目めをかぶせて一方向に目が倒れるように右上3目一度にする

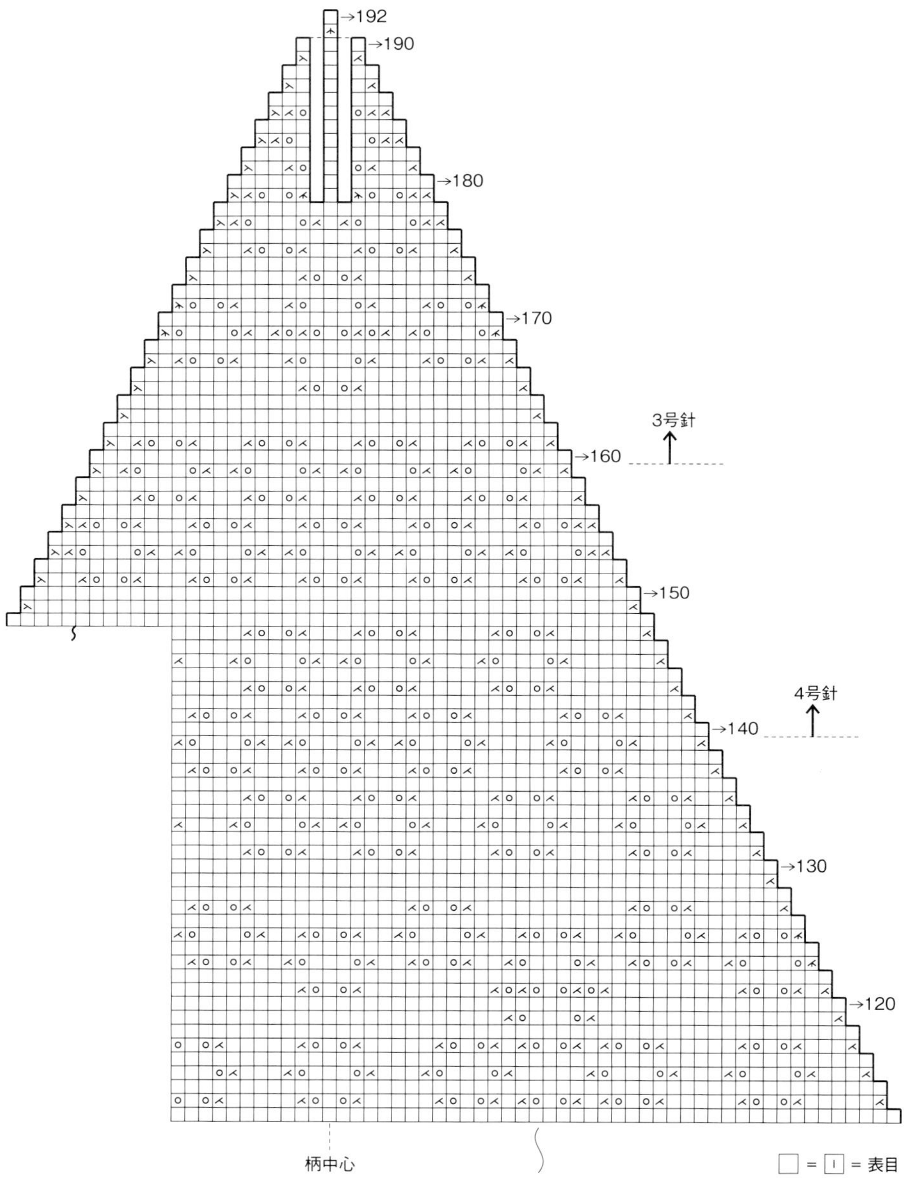
→192
→190
→180
→170
3号針
→160
→150
4号針
→140
→130
→120
柄中心
□ = ǀ = 表目

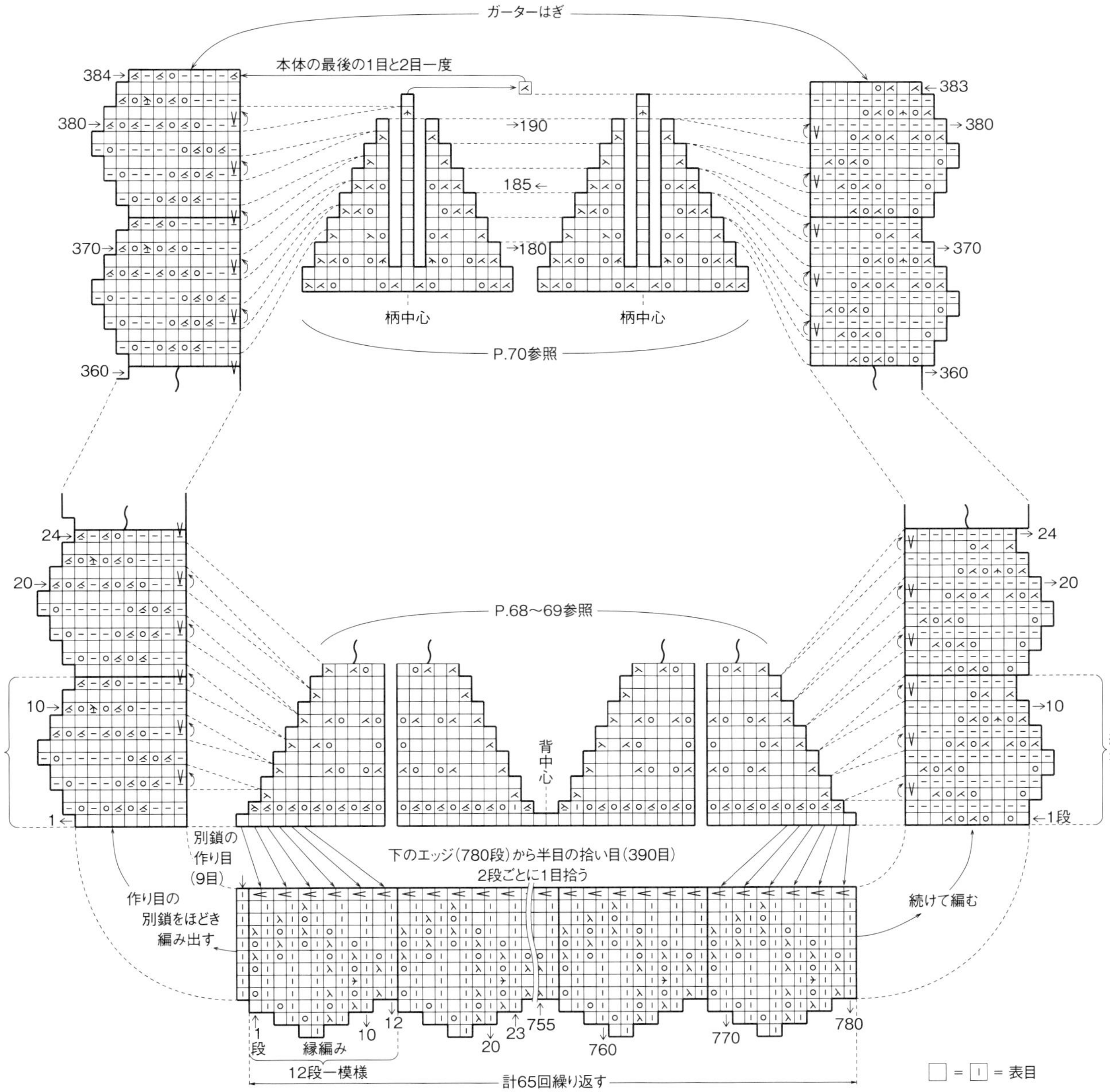

ガーターはぎ
本体の最後の1目と2目一度
384
383
380
190
185
180
370
360
柄中心
柄中心
P.70参照
24
20
10
1
1段
P.68〜69参照
背中心
繰返し
繰返し
別鎖の作り目(9目)
下のエッジ(780段)から半目の拾い目(390目)
2段ごとに1目拾う
作り目の別鎖をほどき編み出す
続けて編む
1段
10
12
20
23
755
760
770
780
縁編み
12段一模様
計65回繰り返す
□ = | = 表目

10 →p.20

ダイヤモンドと小さな木

【材料】シェットランド製レース糸（2プライ・レース）の霜降りの薄ベージュ（202）135g
【用具】4号棒針
【ゲージ】整形、仕上げ後19.5目35段が10cm四方
【出来上り寸法】整形、仕上げ後のサイズは図を参照してください

【編み方ポイント】
輪を作り、7目編み出して編み始めます。背中心を対称に2回同じパターンを繰り返しながら図に従い、かけ目とねじり増し目で本体の三角形を大きくしていきます。最終段は伸縮性のある伏止めをし、スカラップを波状に仕上げます。

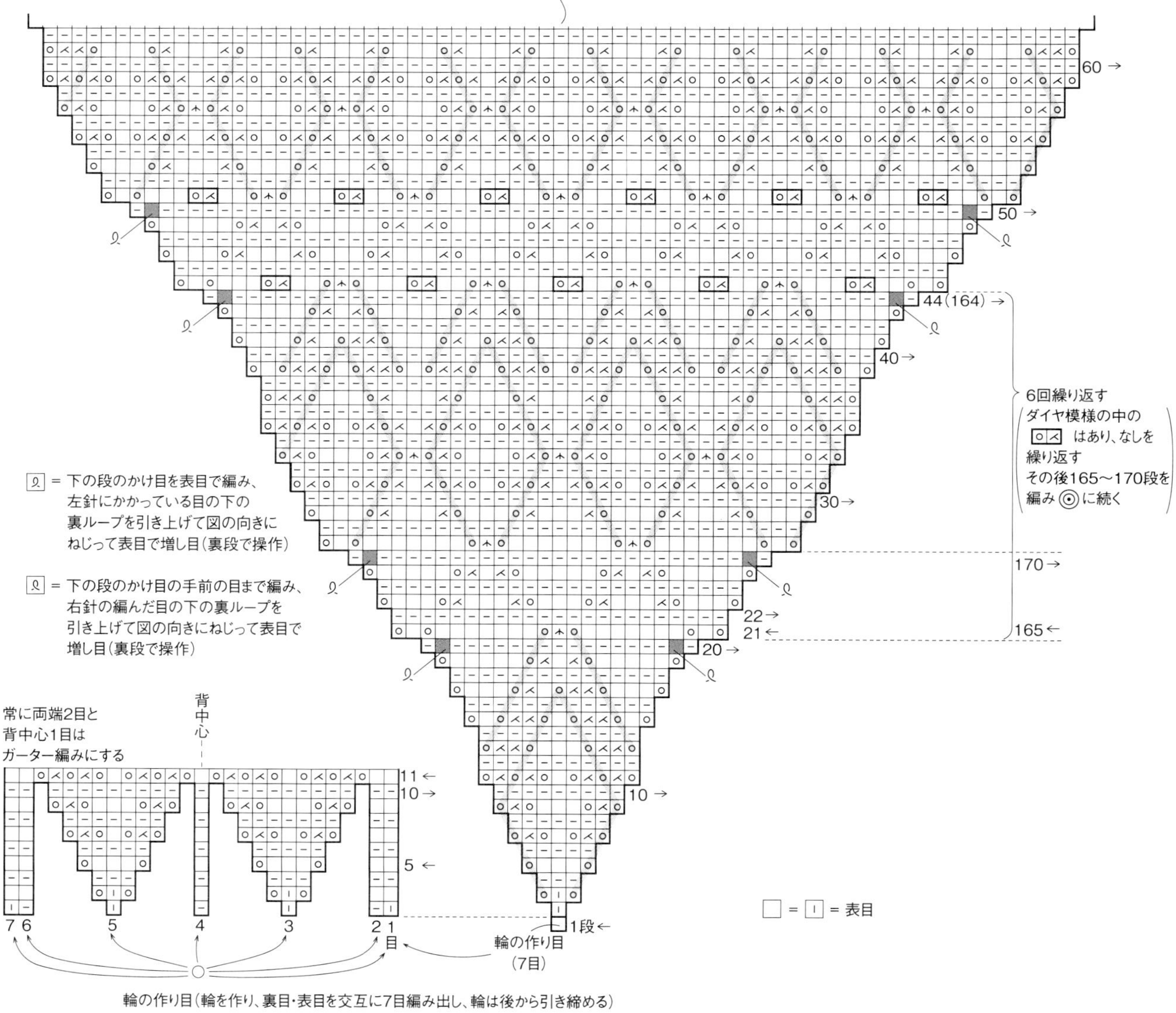
60→
50→
44(164)→
40→
30→
22→
21←
20→
10→
1段←
170→
165←
6回繰り返す
ダイヤ模様の中の
はあり、なしを
繰り返す
その後165～170段を
編み◎に続く
＝下の段のかけ目を表目で編み、
左針にかかっている目の下の
裏ループを引き上げて図の向きに
ねじって表目で増し目（裏段で操作）
＝下の段のかけ目の手前の目まで編み、
右針の編んだ目の下の裏ループを
引き上げて図の向きにねじって表目で
増し目（裏段で操作）
常に両端2目と
背中心1目は
ガーター編みにする
背中心
11←
10→
5←
7 6
5
4
3
2 1
目
輪の作り目
（7目）
＝　＝表目
輪の作り目（輪を作り、裏目・表目を交互に7目編み出し、輪は後から引き締める）

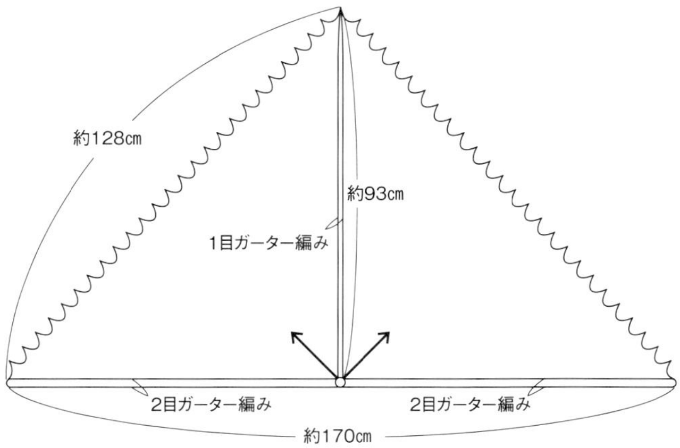

最後の目数の総数　ガーター2目 ＋ 本体251目 ＋ 背中心1目 ＋ 本体251目 ＋ ガーター2目 ＝507目

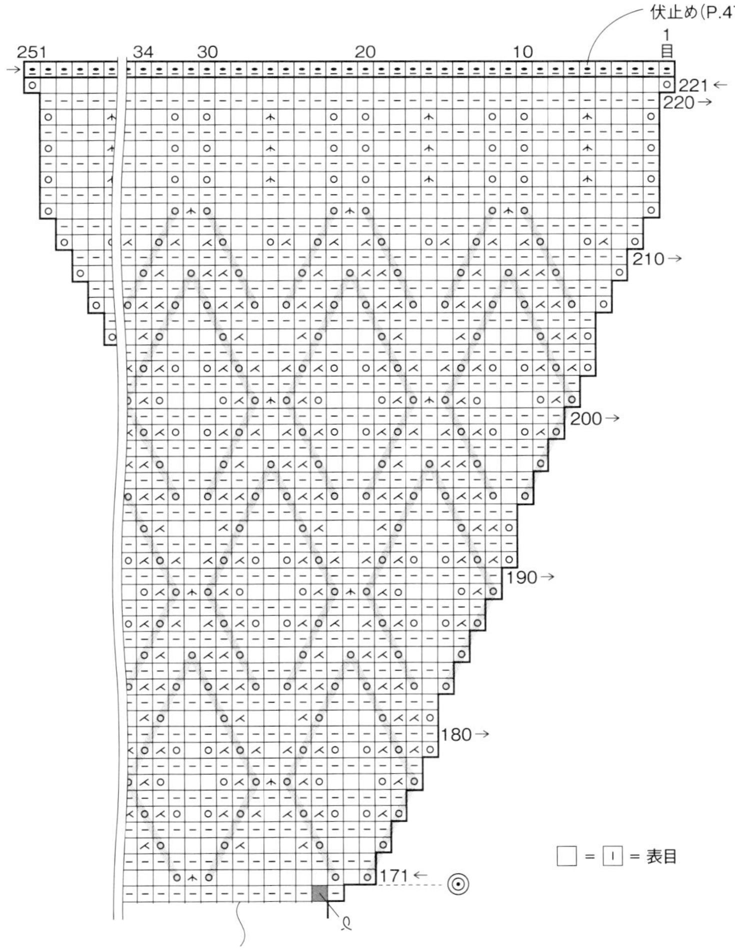

11

→p.22

小さなビーズとシダ模様＆小窓に小さなビーズと網模様

【材料】シェットランド製レース糸（スプリーム・2プライ・レース）の white 95g
【用具】2号棒針
【ゲージ】整形、仕上げ後22.5目48段が10cm四方
【出来上り寸法】整形、仕上げ後のサイズは図を参照してください
【編み方ポイント】
別鎖の作り目で縁編みから始め、82段まで編めたら右側の縁編みの1段めに続けて縁編み2段ごとに1目ずつ半目の拾い目をして左側の縁編みを編み出し、以後、引返し編みの左右の縁編みと本体を同時に編み進めます。本体のねじり増し目は、左右の向きが違うので気をつけます。なお、左右のねじり増し目も境目の柄になりえるので、模様編みの端の調整で増し目はせず、極力ねじり増し目を入れています。274段まで編めたら縁編みを最終段に編みつないでいきます。最後は縁編みの最後の目と左側から編み上がってきた縁編みをガーターはぎにします。

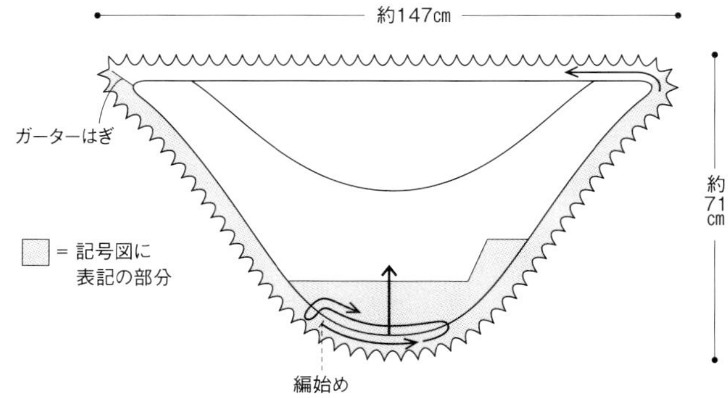

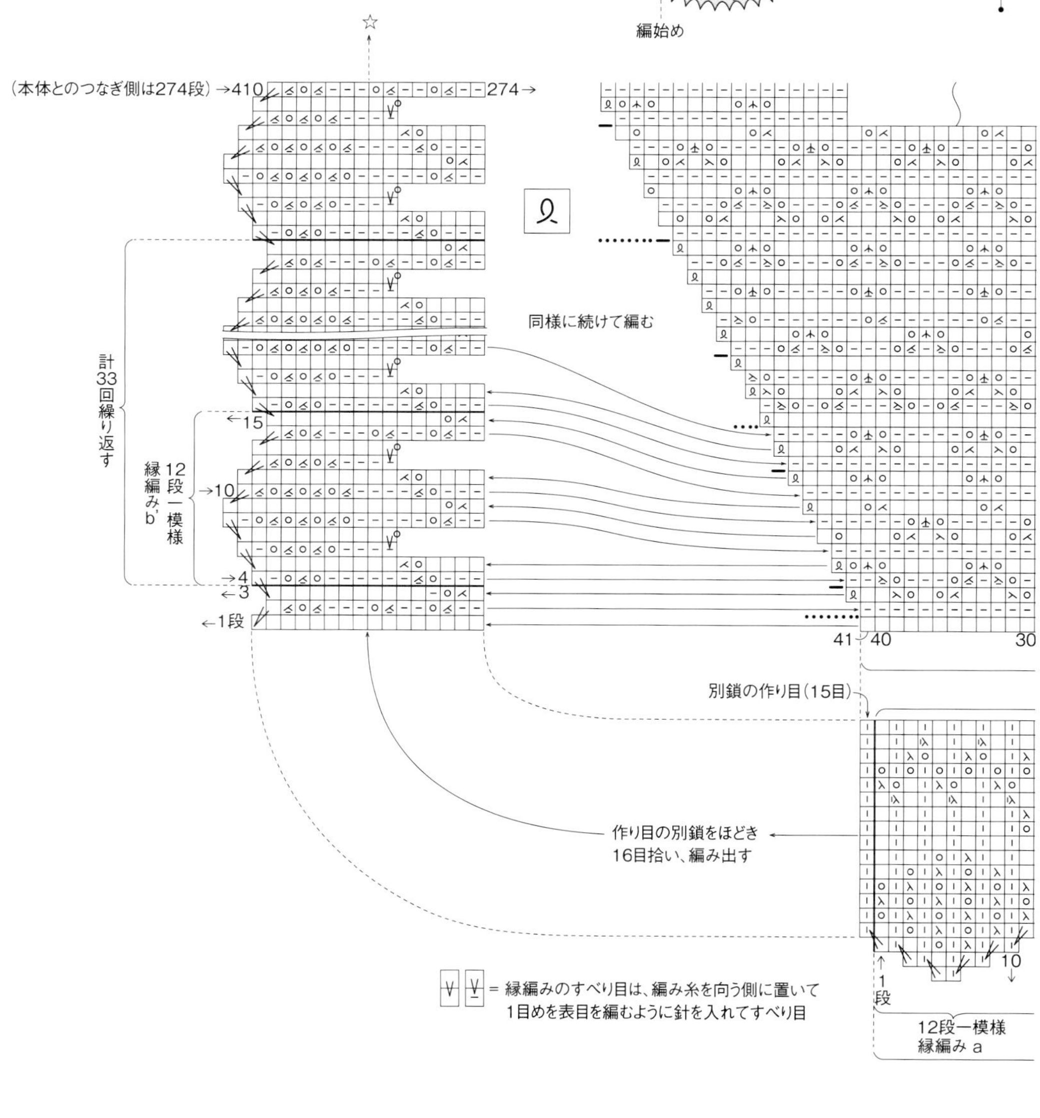

= 8目26段（13段×偶数段始り＋奇数段始り）一模様

⋯⋯ = 模様編み13段ごとの区切り線

— = 縁編み12段一模様ごとの区切り線

= 縁編みと本体の目の間の渡り糸（裏ループ）を引き上げてねじって増し目
左右のねじる向きに注意

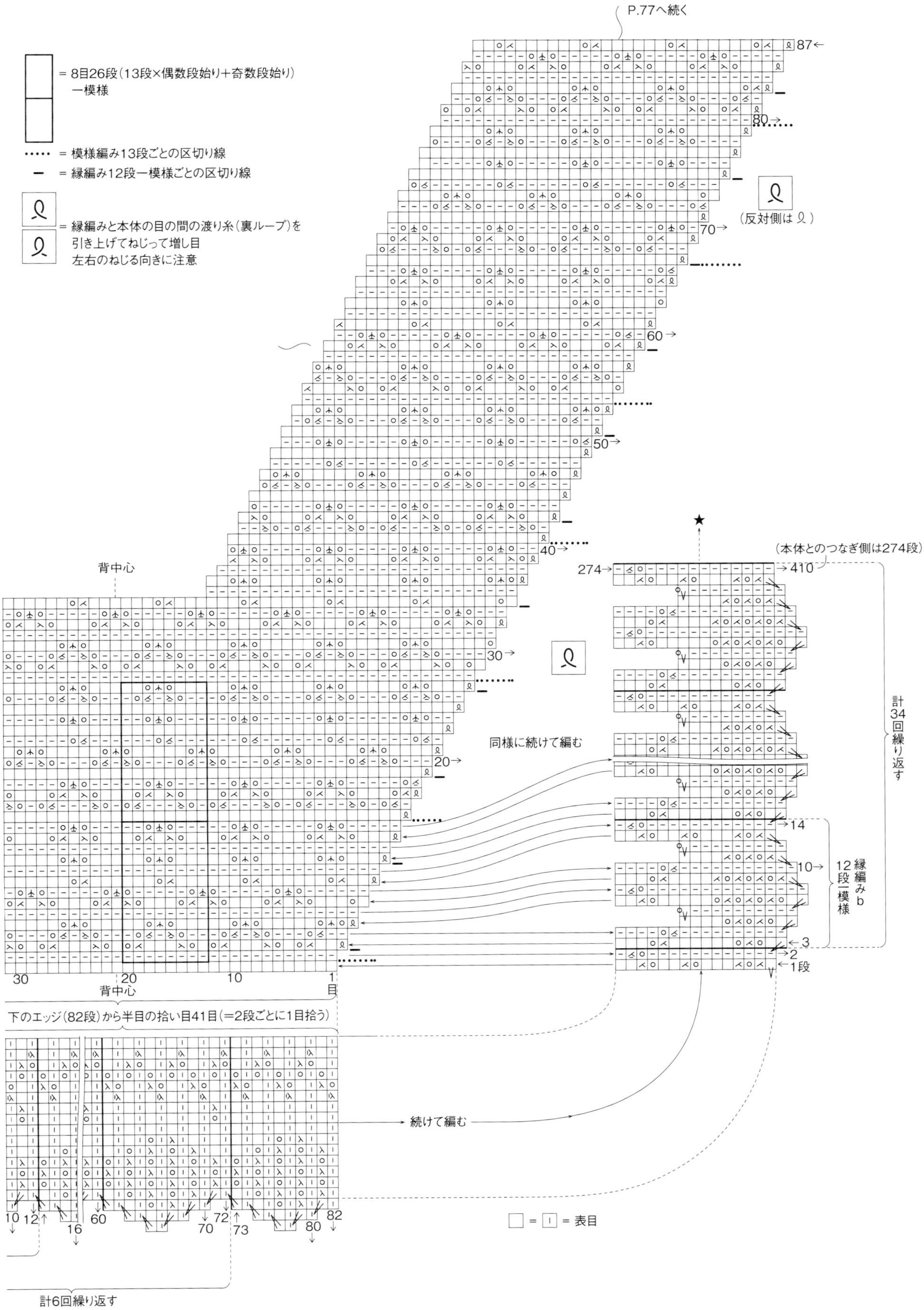

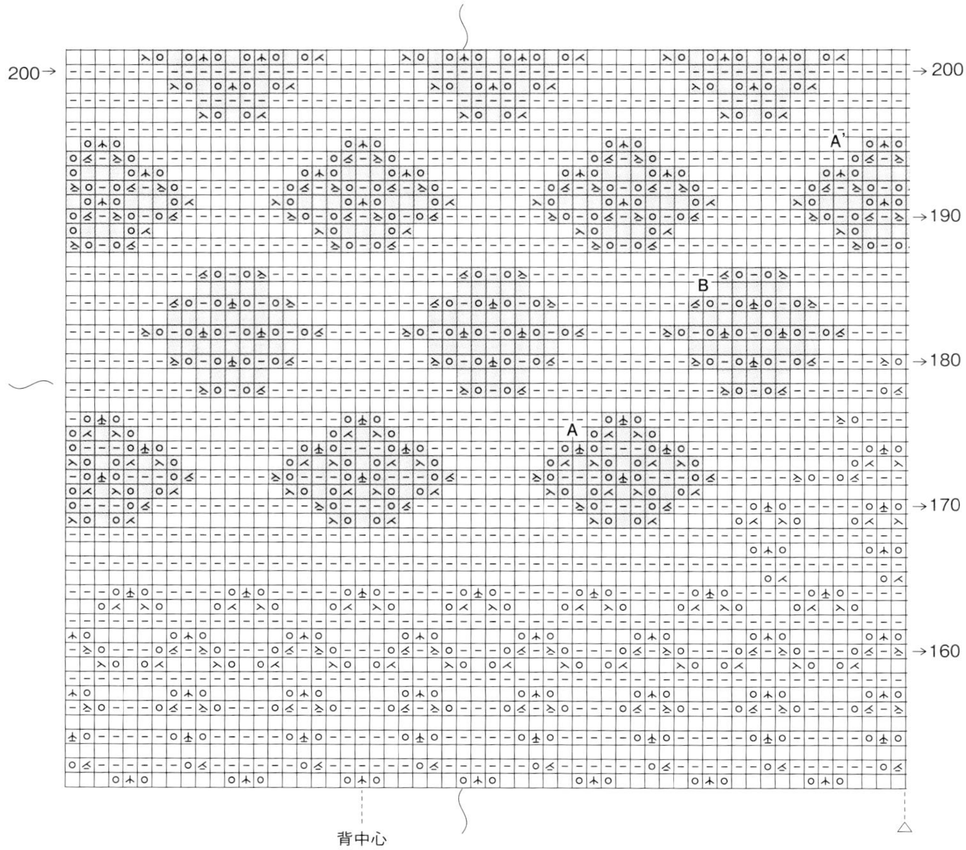
200→
→200
→190
A'
B
→180
A
→170
→160
背中心

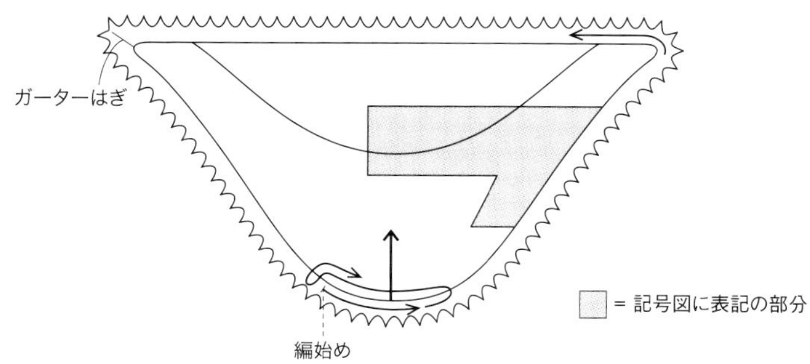
ガーターはぎ
編始め
= 記号図に表記の部分

P.79へ続く

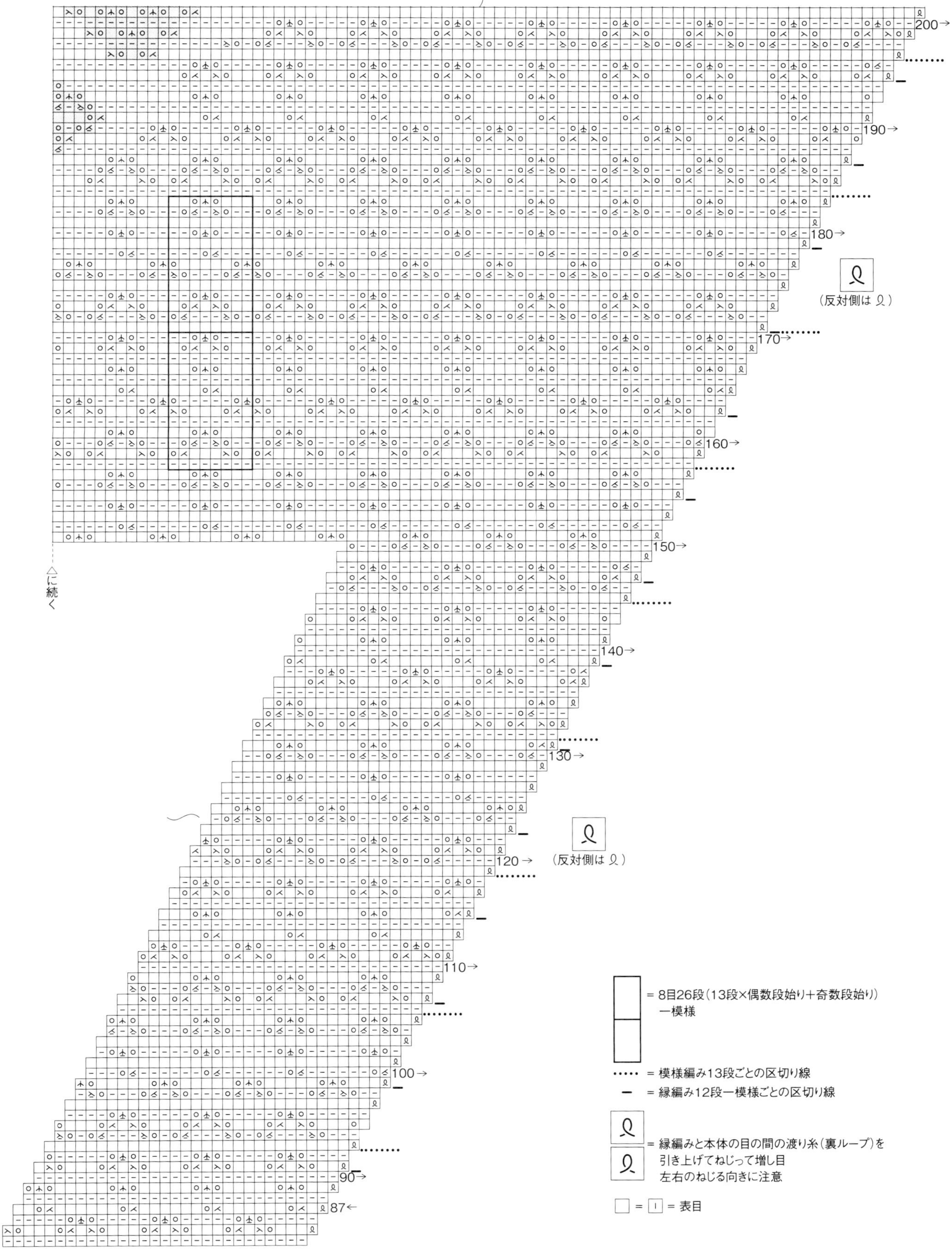

△に続く

□ = 8目26段（13段×偶数段始り＋奇数段始り）一模様

······ = 模様編み13段ごとの区切り線

ー = 緑編み12段一模様ごとの区切り線

ℓ ℓ = 緑編みと本体の目の間の渡り糸（裏ループ）を引き上げてねじって増し目 左右のねじる向きに注意

□ = ｜ = 表目

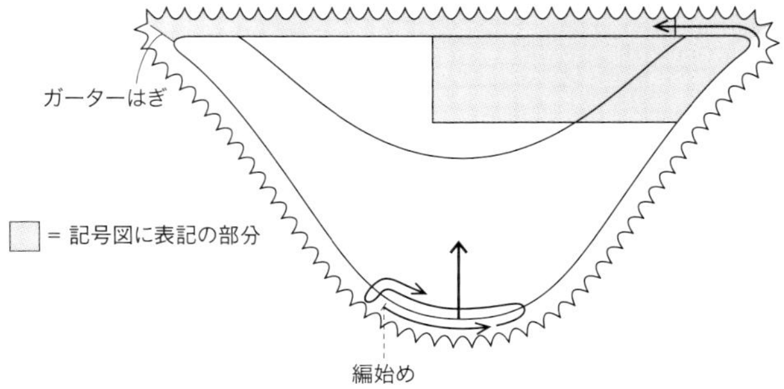
ガーターはぎ
= 記号図に表記の部分
編始め

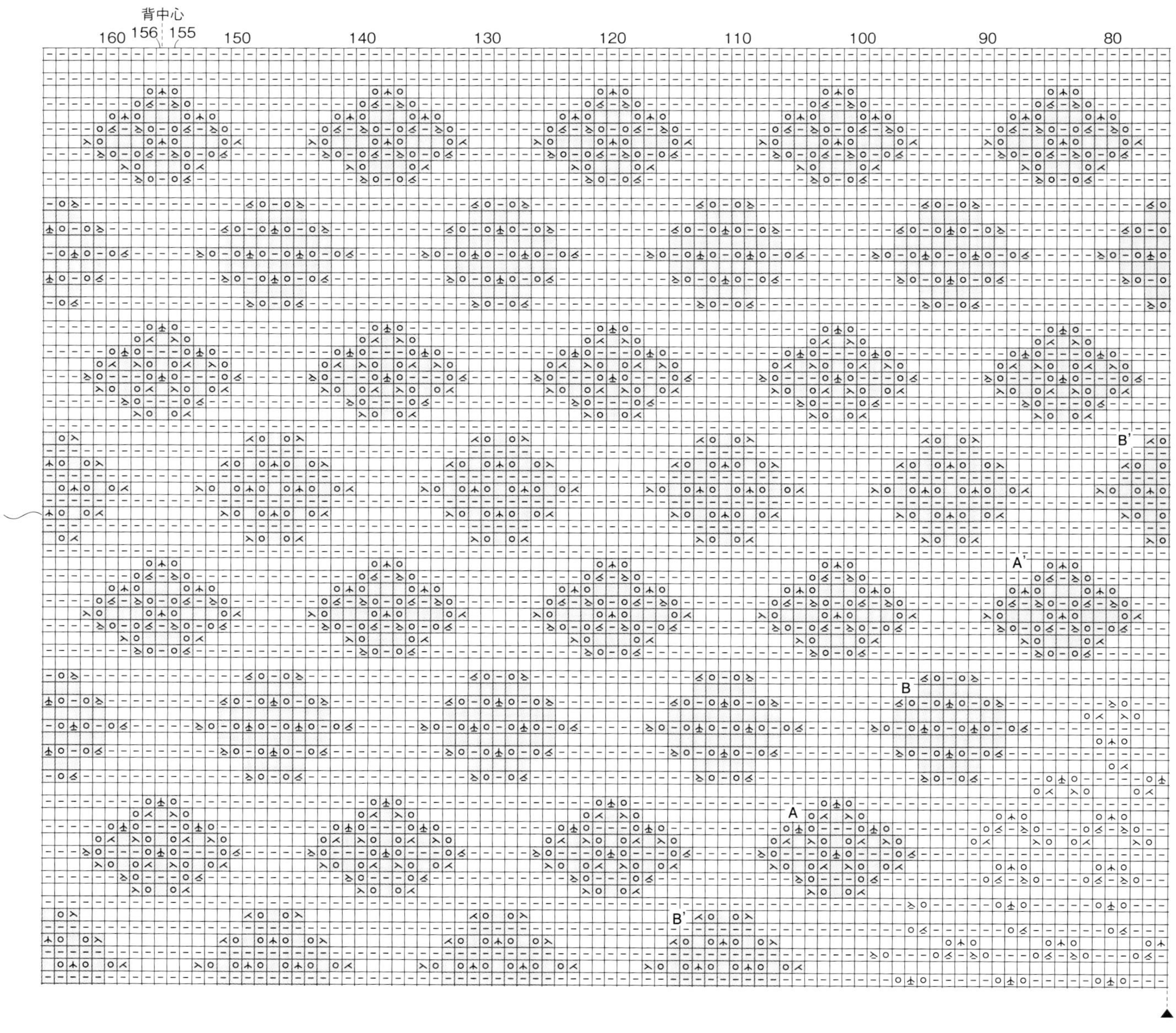
背中心
160
156
155
150
140
130
120
110
100
90
80
A
A'
B
B'

本体背中心1目＋左右に155目×2=311目
本体1目から2段分編みつけるので
311目×2=622段

左側に編んだ縁編み
410段（本体とのつなぎ側274段）
☆（P.74）とガーターはぎ

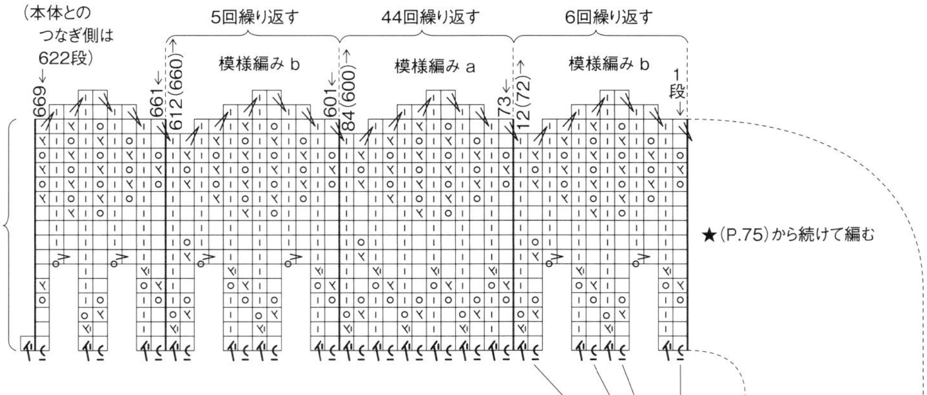

★（P.75）から続けて編む

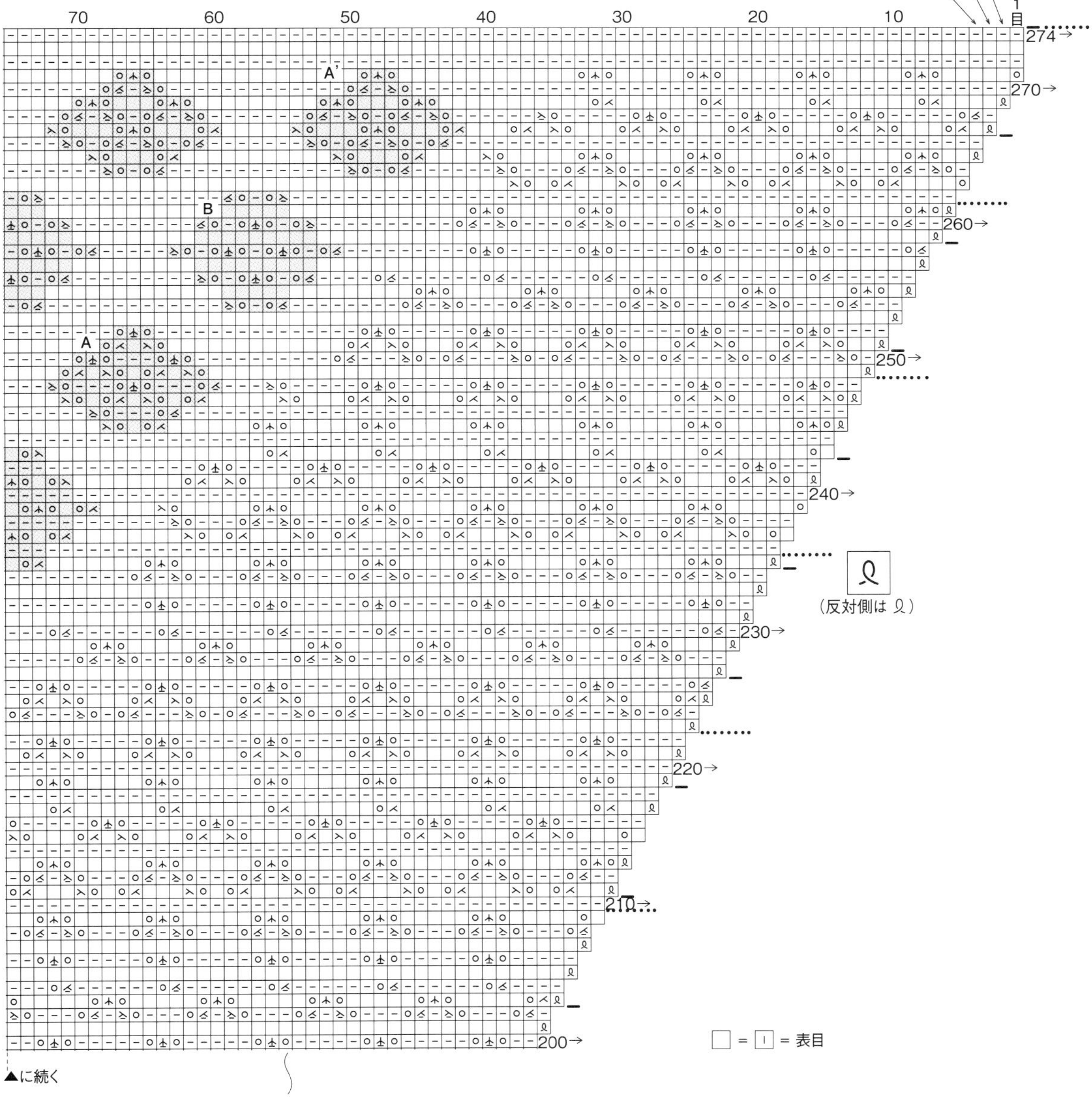

▲に続く

□ = ▯ = 表目

13
→p.26

ローズ・レースと
プリンセス・パターン

【材料】ローワン　ファイン・レースのローズ色（アンティーク・921）160g
【用具】3号、2号棒針
【ゲージ】整形、仕上げ後模様編みA（3号）21目45段、模様編みB（2号）28目37段が10cm四方
【出来上り寸法】整形、仕上げ後のサイズは図を参照してください

【編み方ポイント】
輪の作り目で始め、模様編みA（3号）から始めます。模様編みB（2号）を模様編みAの181～318段から拾い目をし、目数を整え、左右に2枚編み出します。別鎖の作り目で縁編み（2号）をぐるりに編みつけていきます。各部分で編みつける（編み出す）割合が違うので気をつけます。すべての部分（a～e）は模様編みがきっちり納まります。別鎖の作り目を解き、ガーターはぎにします。

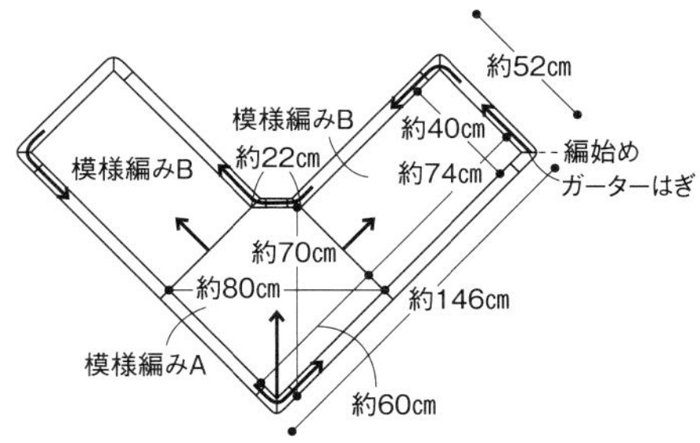

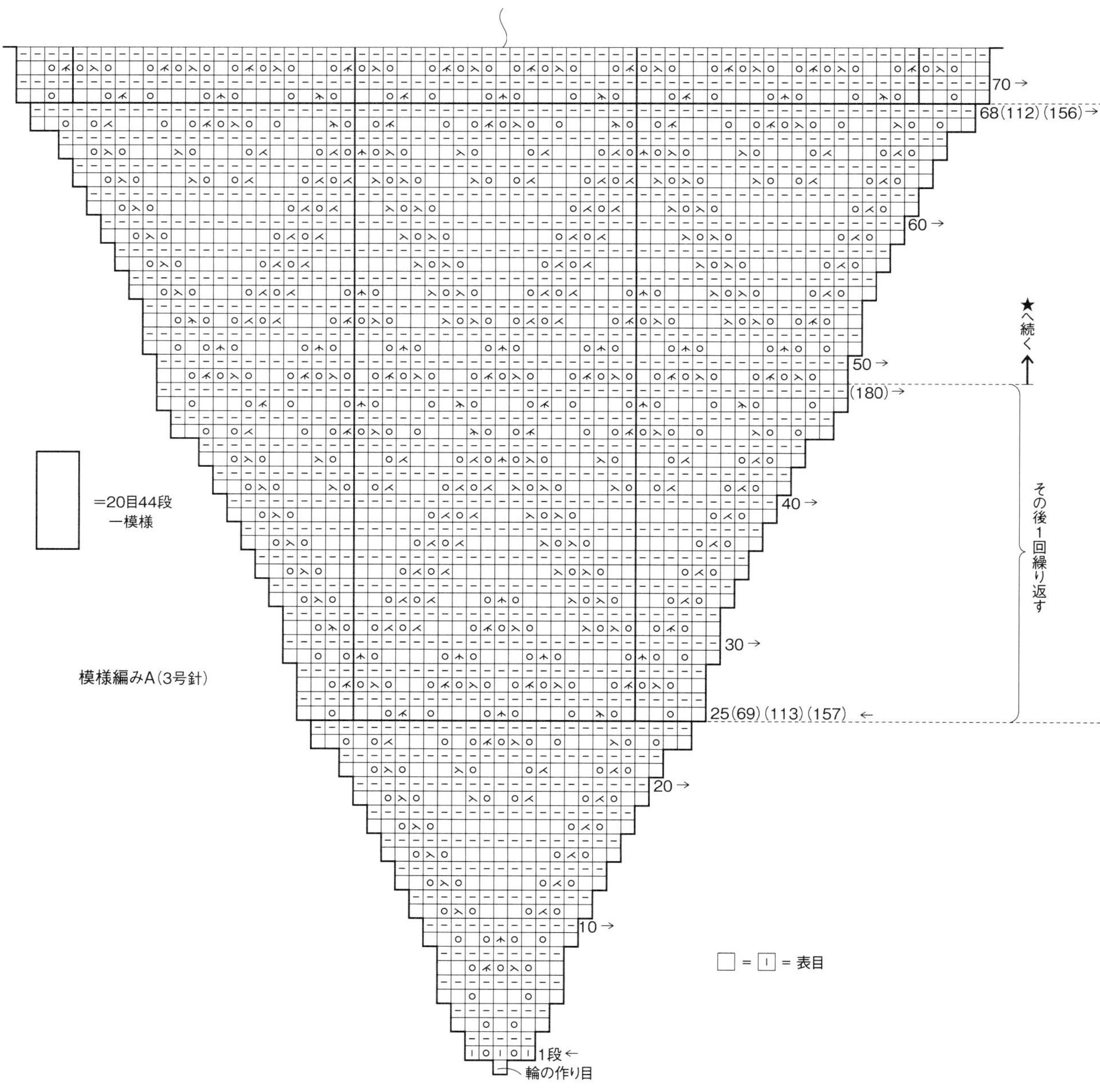

模様編みA（3号針）

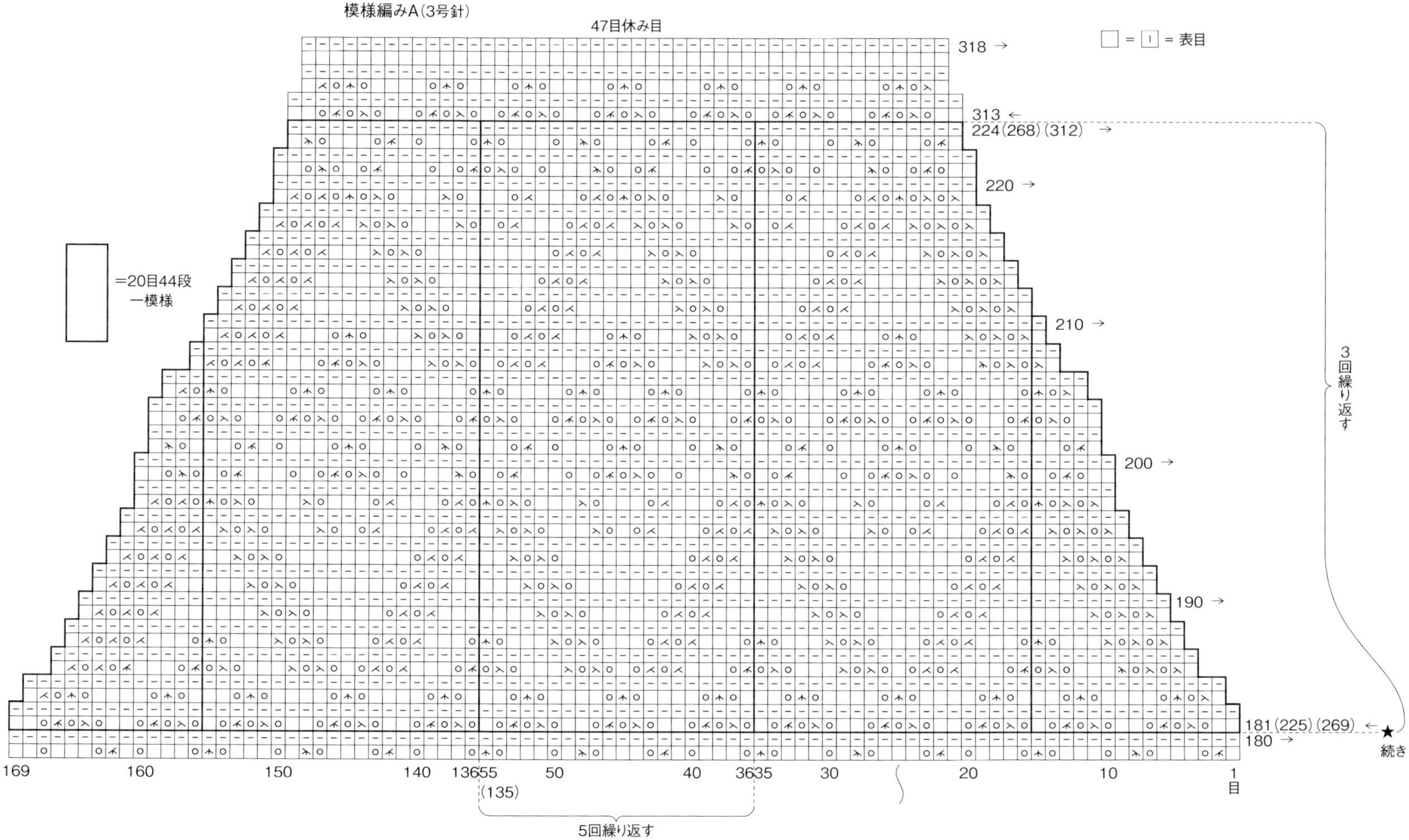
47目休み目
□ = □ = 表目
=20目44段
一模様
318 →
313 ←
224（268）（312）→
220 →
210 →
200 →
190 →
181（225）（269）←
180 →
★
続き
3回繰り返す
169
160
150
140
13655
（135）
50
40
3635
30
20
10
1目
5回繰り返す

模様編みB（2号針）

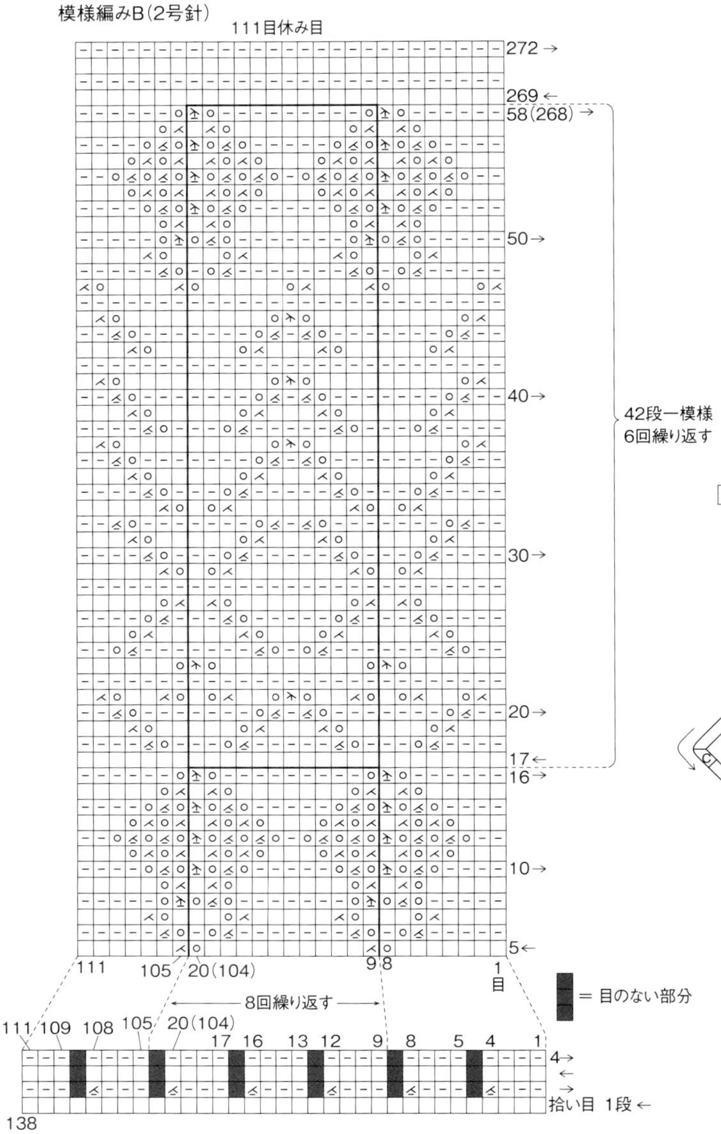

模様編みA　181〜318段より
138目（1段ごとに1目）拾う

縁編み（2号針）

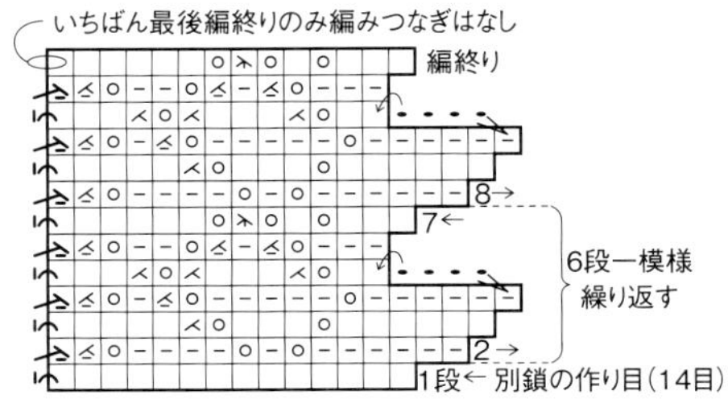

□ = ｜ = 表目

縁編みの編みつけ方
（下表参照）

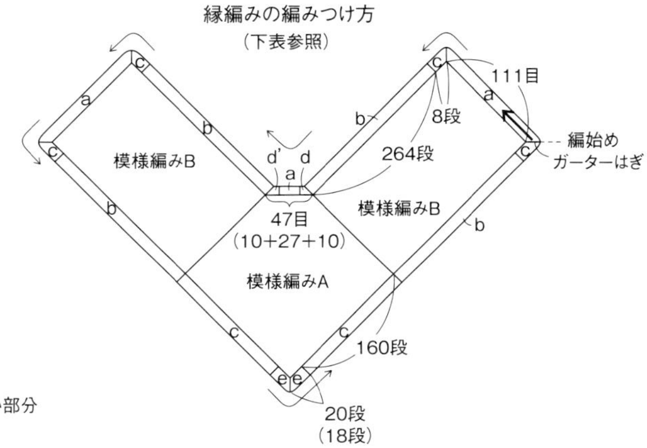

a	111目に37模様	休み目1目ごとに1回（2段分）編みつける	休み目3目＝縁編み6段1模様	
b	264段に44模様	2段ごとに1回（2段分）編みつける	6段＝縁編み6段1模様	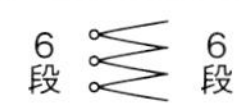
c	8段に2模様 160段に40模様	2段ごとに2回（4段分） 2段ごとに1回（2段分）　編みつける	4段＝縁編み6段1模様	
d d'	10目に2模様	休み目2目を左上2目一度にし、1回（2段分）を4回 休み目1目ごとに1回（2段分）を2回編みつける	休み目10目＝縁編み6段2模様	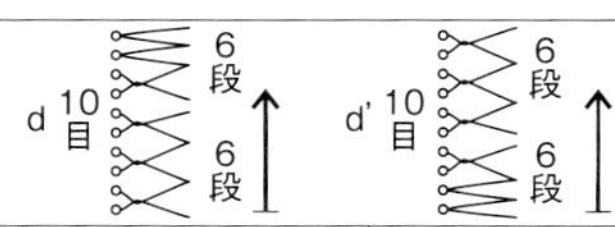
背中心のa	27目に9模様	休み目1目ごとに1回（2段分）編みつける	休み目3目＝縁編み6段1模様	
e	18段に6模様	2段ごとに2回（4段分）編みつける	6段＝縁編み6段2模様	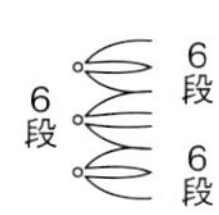

＊ｅは20段あるが、ｅとｅの角部分は本体の輪の作り目によって編み地が引き締められているので、2段分はとばして18段として編みつける
＊2回（4段分）編みつける場合は同じ位置に針を入れて編みつける

14 →p.28

3つのクラウン（王冠）と ミセス・モンタギュー

【材料】 アヴリル　カシミヤのラベンダー（4105）70g

【用具】 2号棒針

【ゲージ】 整形、仕上げ後24目41段が10cm四方

【出来上り寸法】 整形、仕上げ後　幅約51cm、長さ約162cm

【編み方ポイント】

始めにセンターパネルを編みます。別鎖の作り目で始め（p.84）、繰返し部分で模様編みB、模様編みCとクラウン（王冠）の柄を置き換えて311段までを2枚編み、柄がつながるようにはぎます。縁編みは別鎖の作り目で始め（p.87）、センターパネルの2段ごとに1回（2段）の割合で編みつないでいきます。コーナー（角部分）は縁編みaの引返し編みでカーブ（曲線）を作ります。短い辺からは、別鎖の作り目を針に戻し、1目ごとに1回（2段）の割合で編みつないでいきます。縁編みを一方向に4辺とも編み終えると柄がきっちり納まります。縁編みの編始めの別鎖をほどき、編終りとガーターはぎをします。

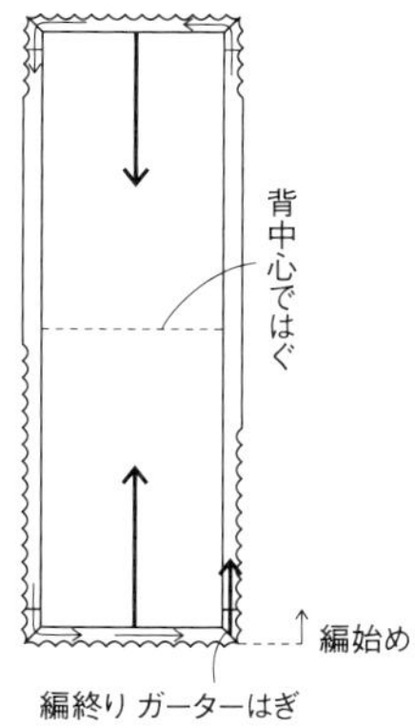

模様編みB

□ = ｜ = 表目

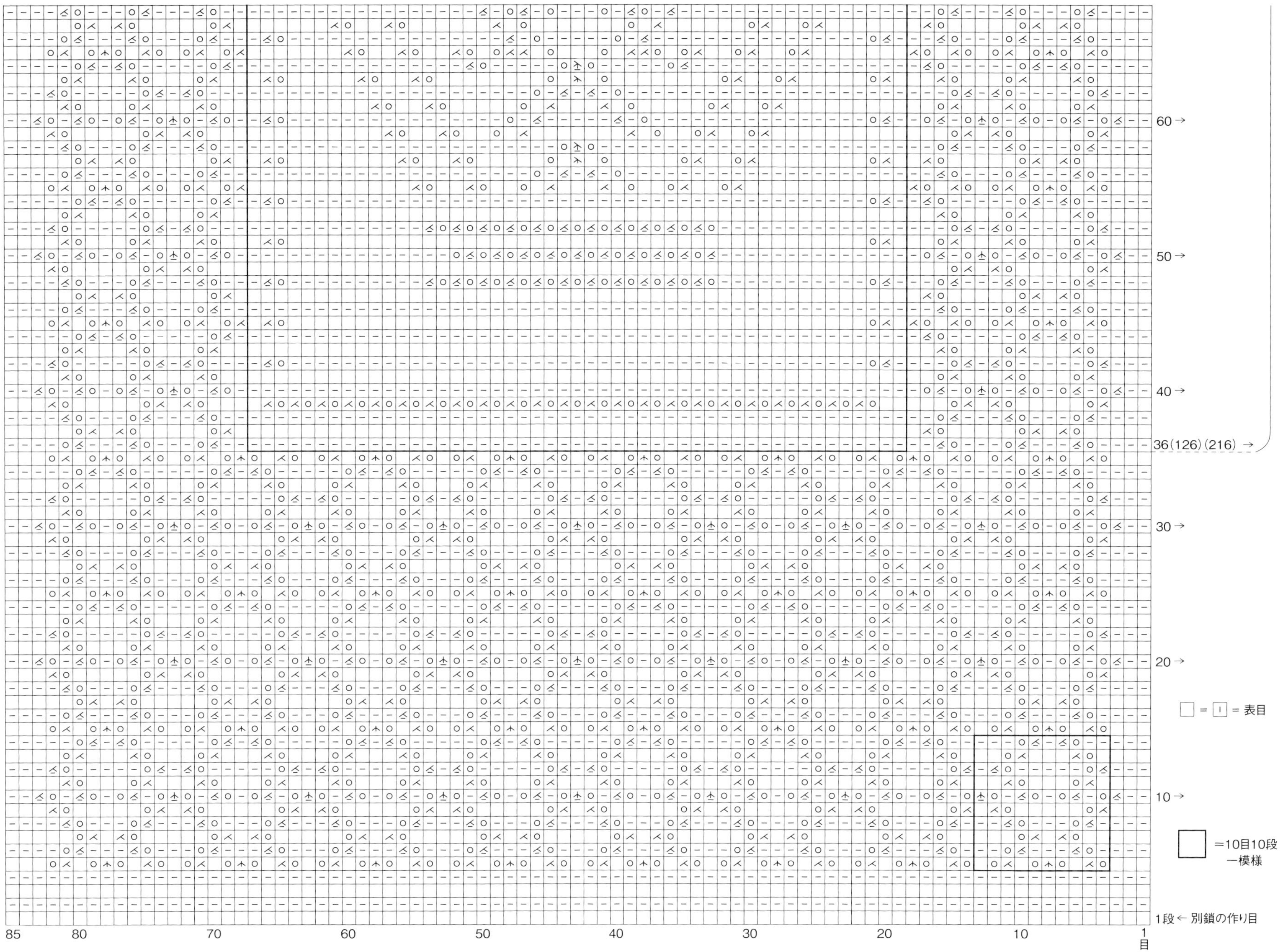

□ = [|] = 表目

□ =10目10段一模様

311段までを2枚編み、それぞれの最終段からガーターはぎを基本として312段のように柄を作りながら、はぎ合わせる

□の中を2回めは模様編みB（P.83）3回めは模様編みC（P.86）に置き換えて繰り返す

模様編みC

□ = [|] = 表目

縁編みa

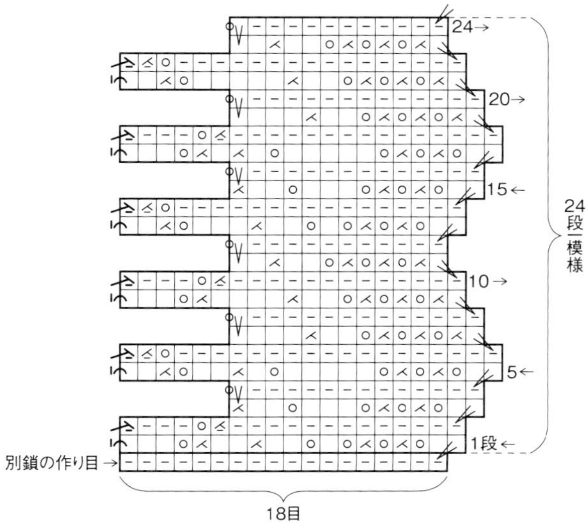

縁編みb

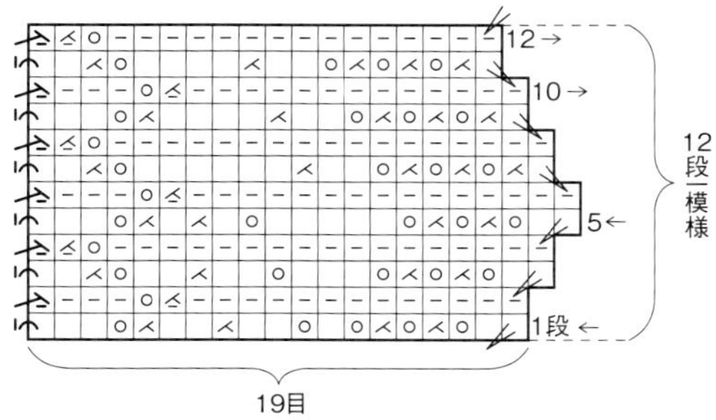

□ = ｜ = 表目

縁編み

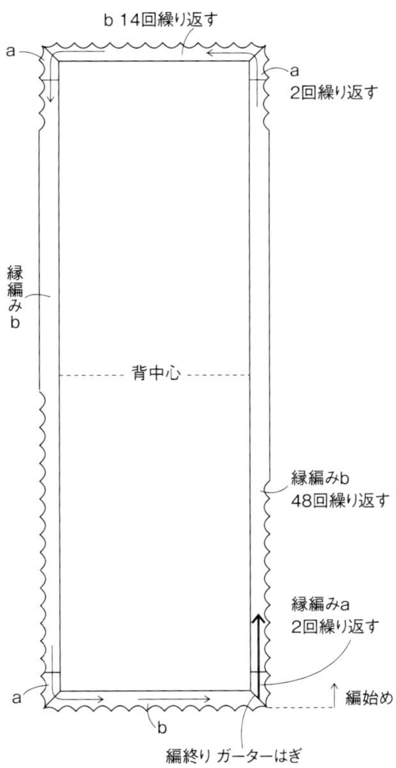

	センターパネル ぐるりの総数	縁編み ぐるりの総数
長い辺 （1辺分）	311段×2 ＋ 背中心はぎ1段 ＝623段	a （12段×2回）×2（上下分） ＋ b 12段×48回 ＝624段
短い辺 （1辺分）	85目	b 12段×14回＝168段 1目ごとに編みつなぎ、2段分になるので ÷2＝84目
合計	708	708
	＊ 長い辺、短い辺それぞれ2回あるので共に1416で納まる	

16 →p.32

分散減目のカラー

【材料】 ホビーラホビーレ　クロッシュコットンの白（01）25g
【用具】 1号棒針、2号（1.50mm）レースかぎ針
【ゲージ】 整形、仕上げ後30目43段が10cm四方
【出来上り寸法】 整形、仕上げ後のサイズは図を参照してください
【編み方ポイント】
分散減目で裾部分から編み始めます。縁編みを最後に編みつけます。

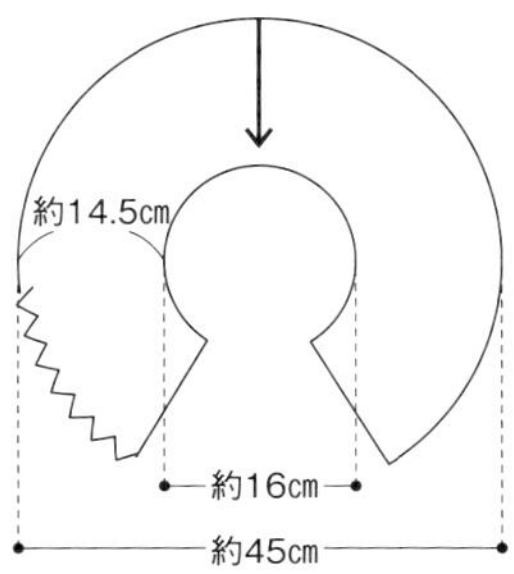

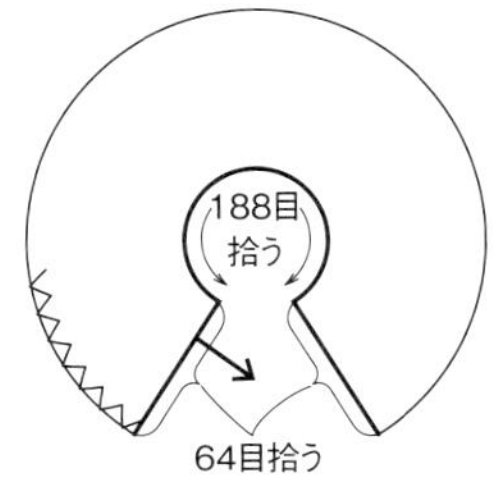

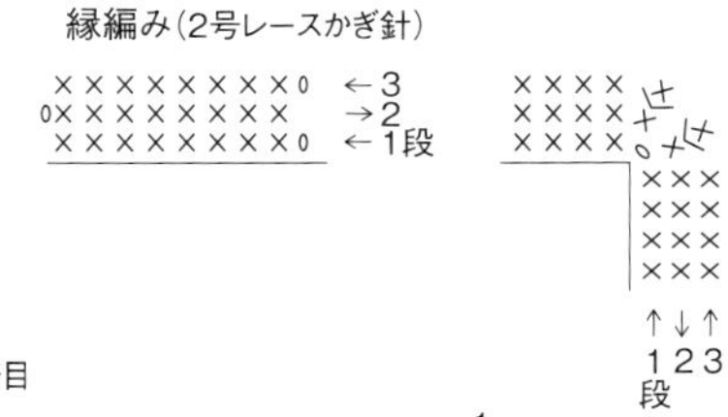

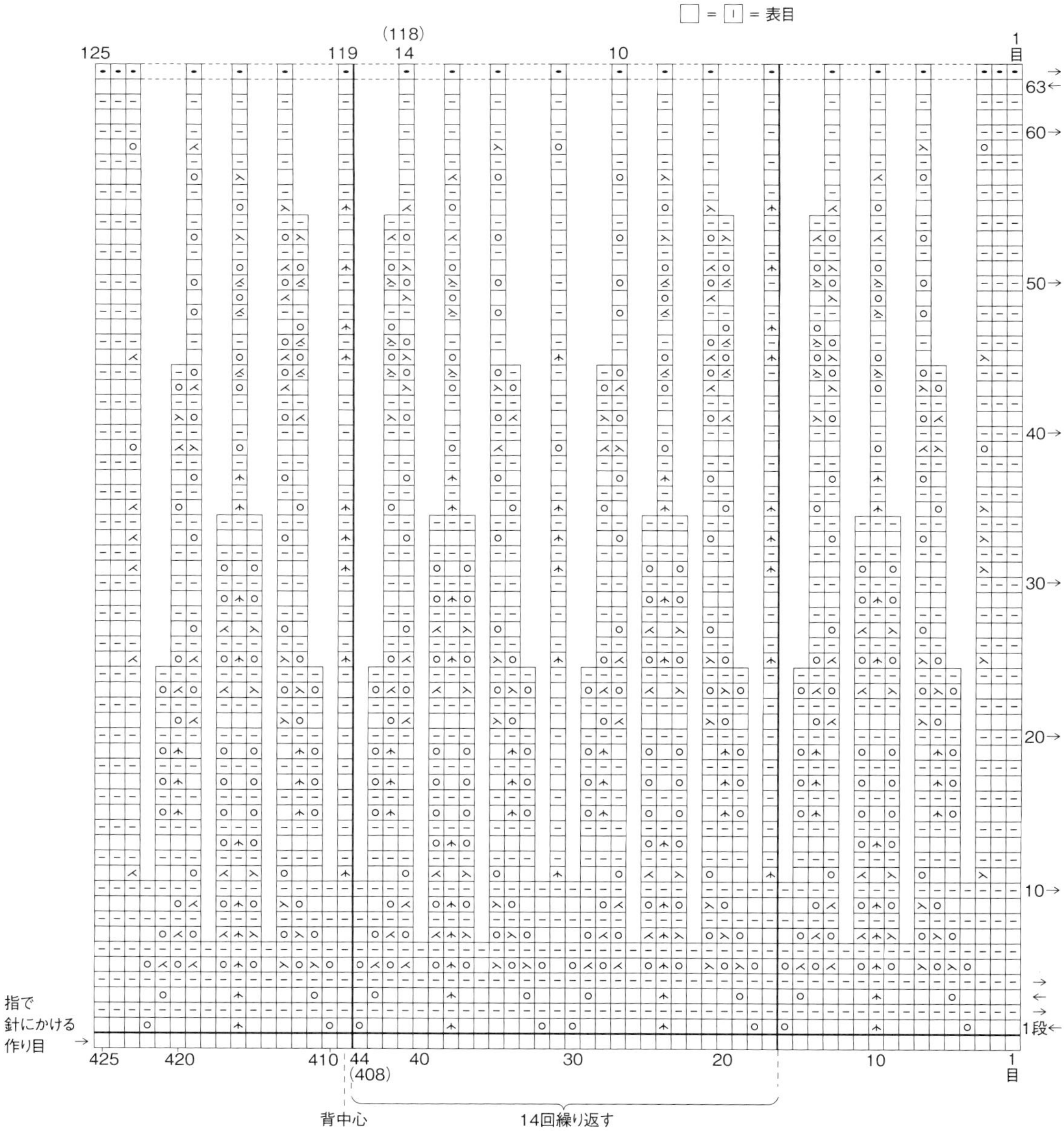

18 →p.36

リング（輪）の半円形ベール

【材料】 シェットランド製レース糸（スプリーム・1プライ・レース）の white 46g

【用具】 0号棒針

【ゲージ】 整形、仕上げ後30目40段が10cm四方

【出来上り寸法】 整形、仕上げ後のサイズは図を参照してください

【編み方ポイント】

別鎖の作り目357目から本体を編み始め、両サイドで減し目をしながら編み進めます。左右の柄の切れは対称になるように気をつけ、両端での減し目の2目一度の箇所は、左上、右上を左右対称に編みます。減し目と最後の伏止め箇所は非常にゆるく（7号針程度～）伏せます。縁編みAを外周に編みつける前に、図に従ってあらかじめ拾い目をし、目数を整え、その後拾い目に縁編みAを編みつけます。縁編みAと本体の別鎖の作り目をほどき、縁編みAの最後の休み目とともに針に戻し、縁編みBを編みつけます。

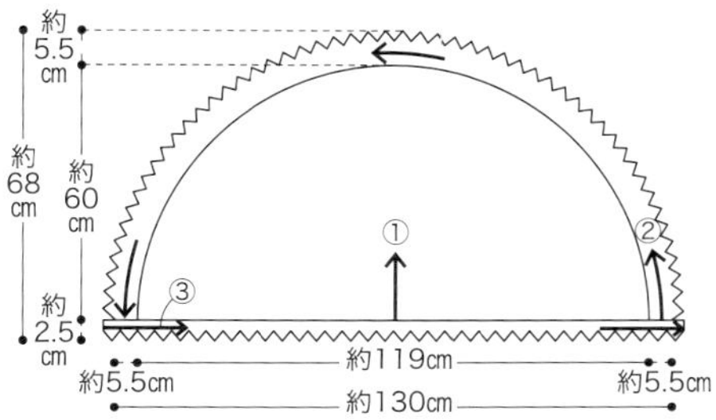

□ = | = 表目

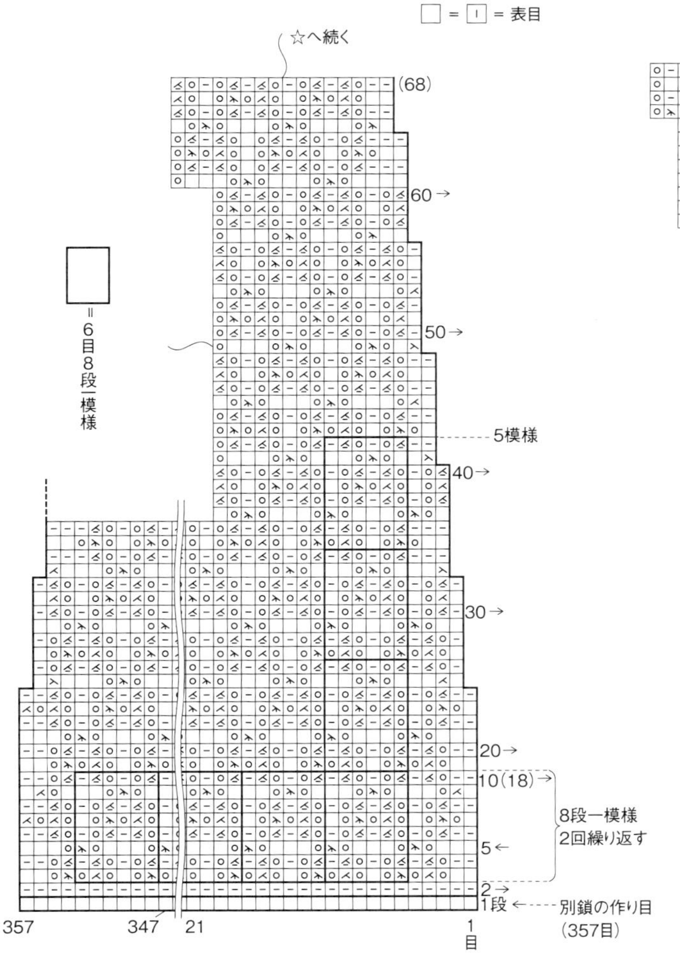

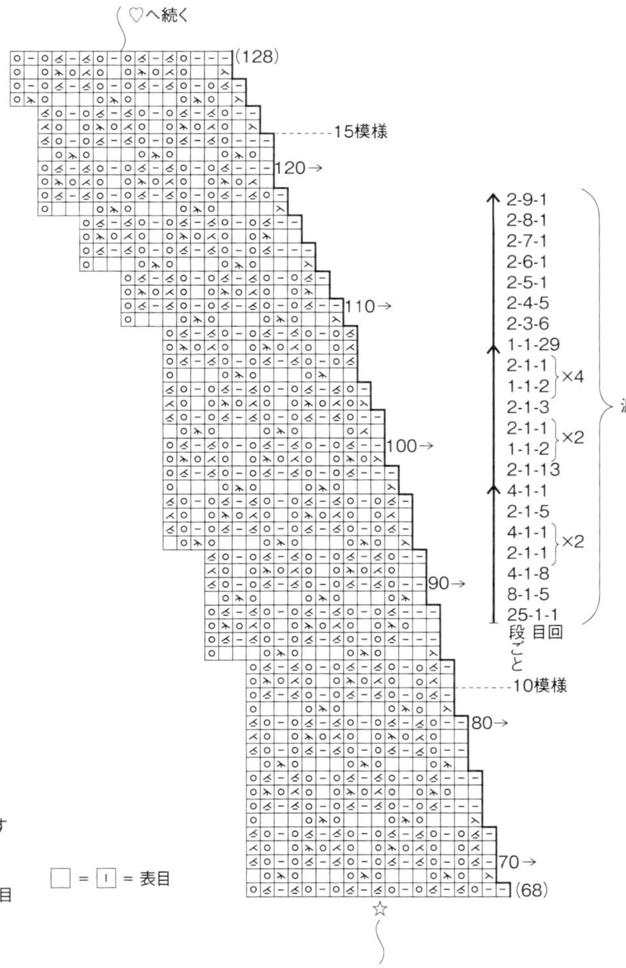

□ = | = 表目

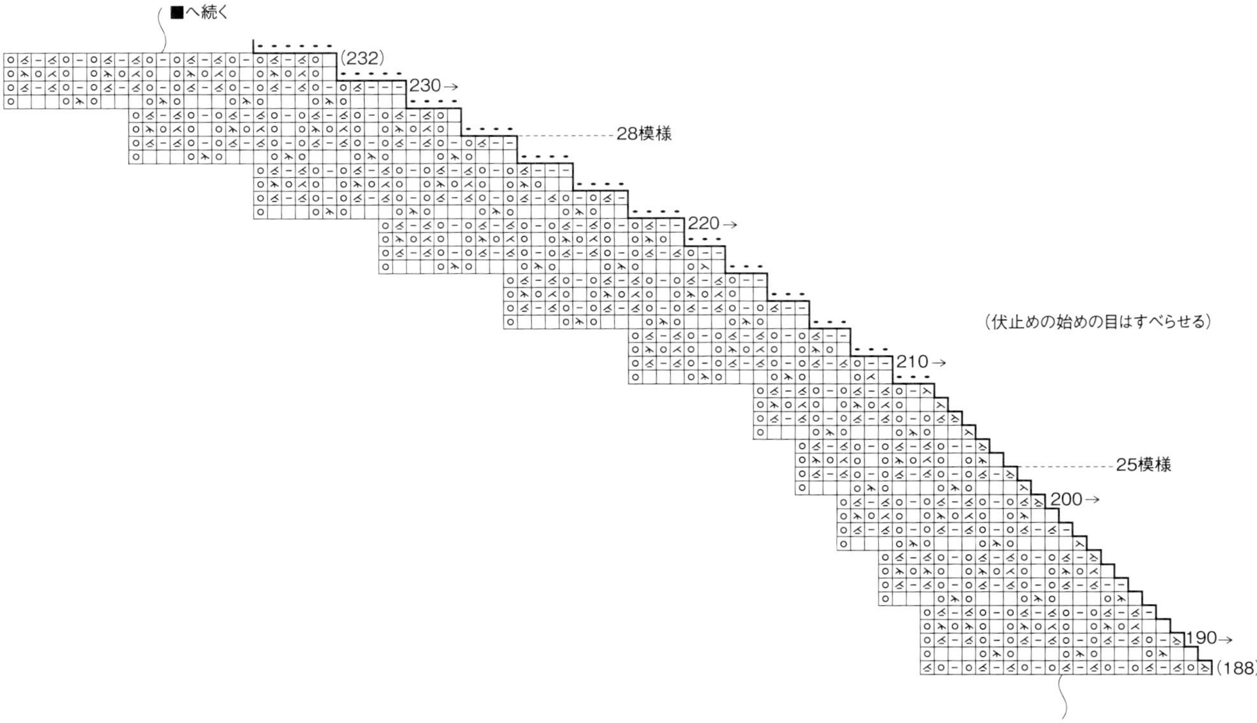
■へ続く
(232)
230→
28模様
220→
(伏止めの始めの目はすべらせる)
210→
25模様
200→
190→
(188)

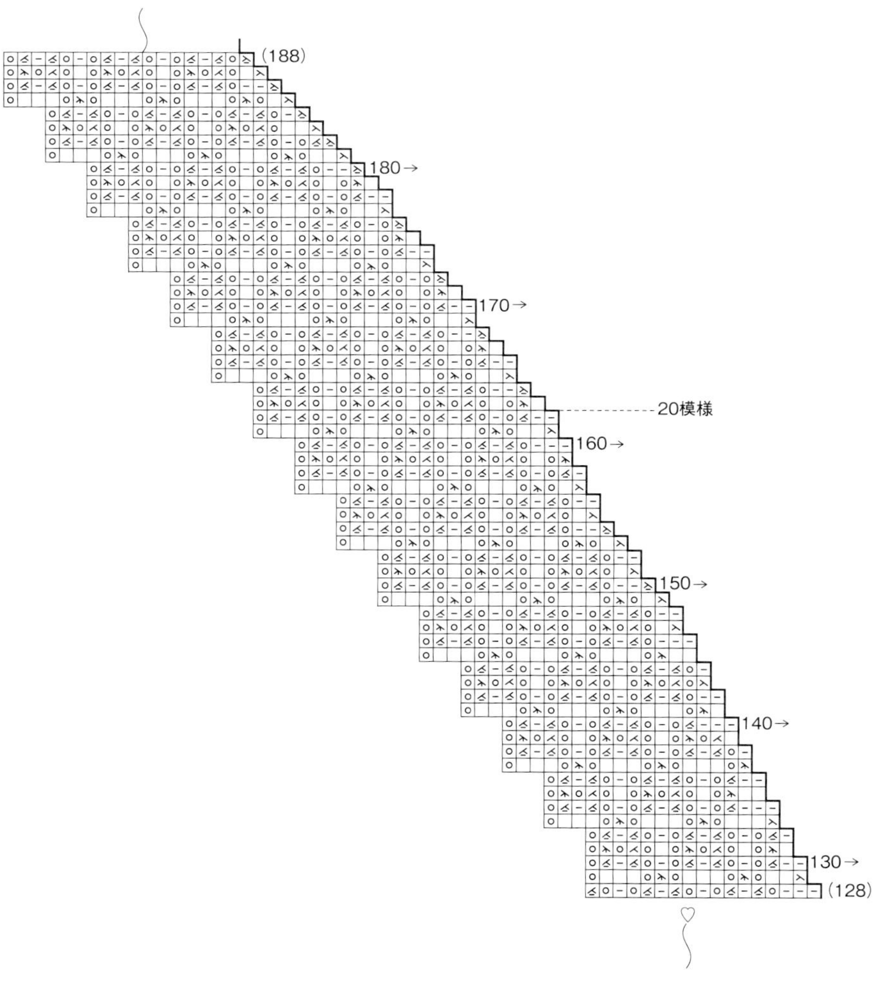
(188)
180→
170→
20模様
160→
150→
140→
130→
(128)
♡

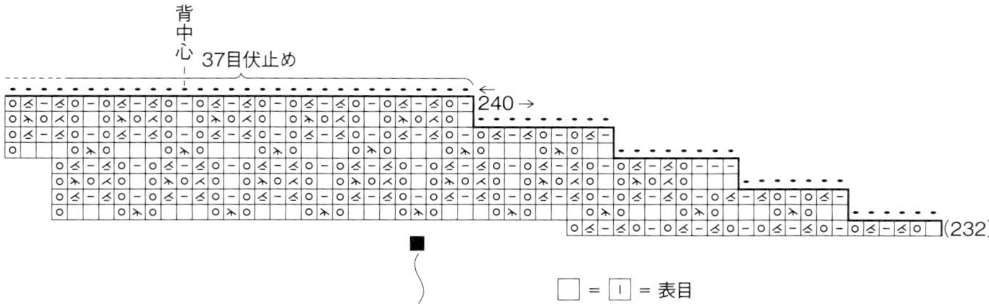

□ = | = 表目

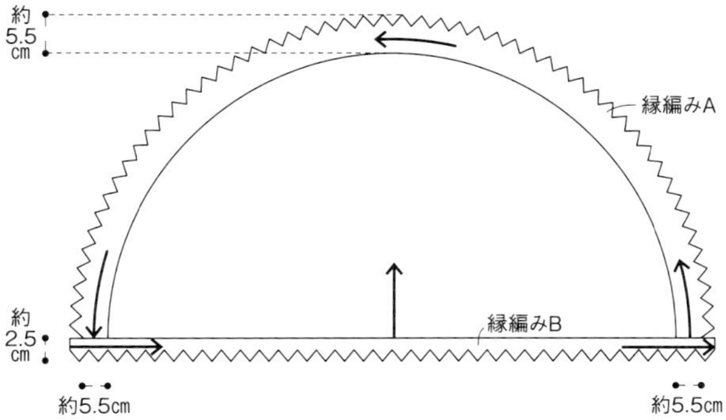

縁編みB

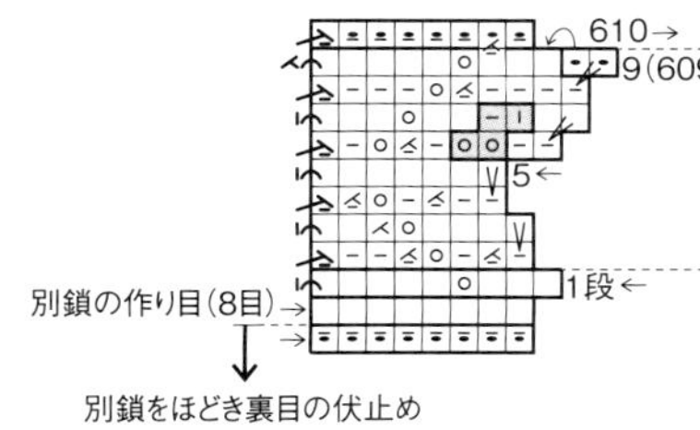

= 針に糸を2回巻きつけ(かけ目2回)、次の段で表目、裏目と編み出す

= 2目一度にして伏止め

= 休み目2目を左上2目一度して編みつなぐ

= 縁編みA、Bともに表目を編むように針を入れてすべり目

縁編みA

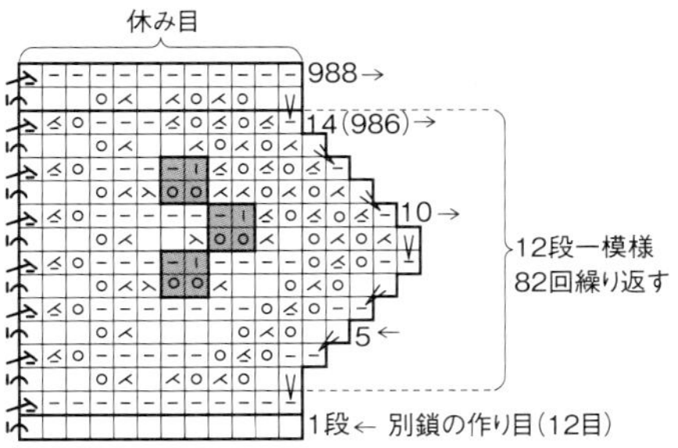

縁編みA {
計247目×2(左半分も同様に)=494目
1目ごとに縁編みAを2段分編みつなげるので×2=988段
‖
縁編みAの始め2段+(12段一模様×82回)+終りの2段=988段
}

縁編みB {
縁編みAの別鎖をほどいた目 12目
+
本体の別鎖をほどいた目 357目
+
縁編みAの最後の休み目 12目
‖
381目
‖
本体からの編みつなぎ4目×95回 = 380目
+
縁編みBの1段めの編みつなぎ = 1目
}

本体外周からの縁編みAの拾い目の割合

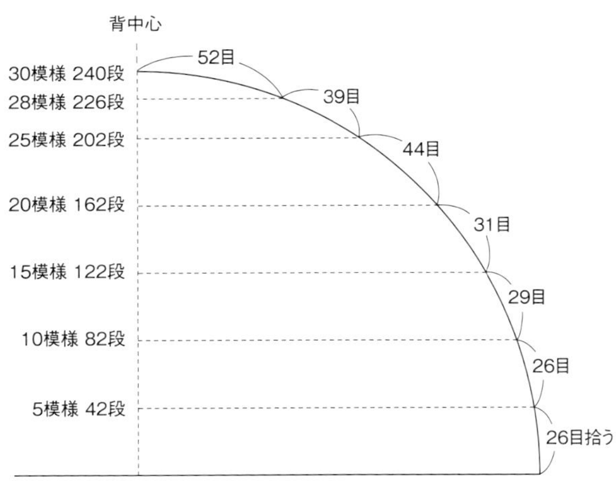

20 →p.40

ダイヤモンド格子と蜘蛛の巣・2匹の蜘蛛・ダイヤモンドのパターン（アンスト島）

【材料】（提案糸）シェットランド製レース糸（スプリーム・2プライ・レース）の white 105g

【用具】 3号棒針

【ゲージ】 整形、仕上げ後18目34段が10cm四方

【出来上り寸法】 整形、仕上げ後　幅約67cm、長さ約137cm

【編み方ポイント】

【編進み方】を参照し、模様編みAから編み始めます。最後に縁編みを編みつなぎます。

【編進み方】

① 別鎖の作り目（113目）で、模様編みAを編み（143段）休み目にします。

② 編んだ模様編みAの別鎖をほどき、模様編みBを編みます（5段＋157段・p.94）。模様編みBを編んだら、続けて模様編みAの2段めから最後まで編みます。

③ 別鎖の作り目（10目）で縁編みを編みつなぎ、始めの別鎖をほどきガーターはぎにします。

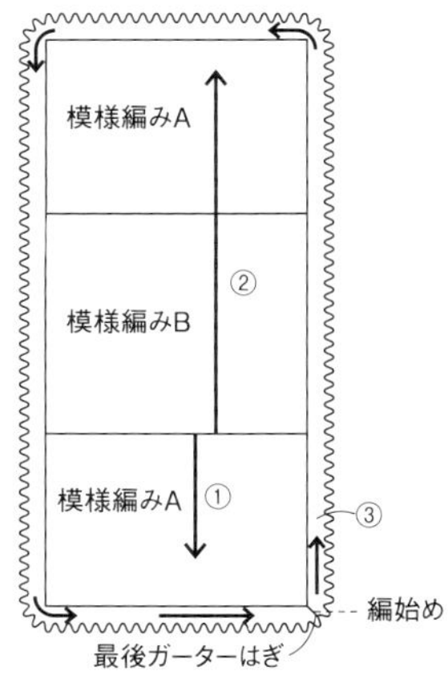

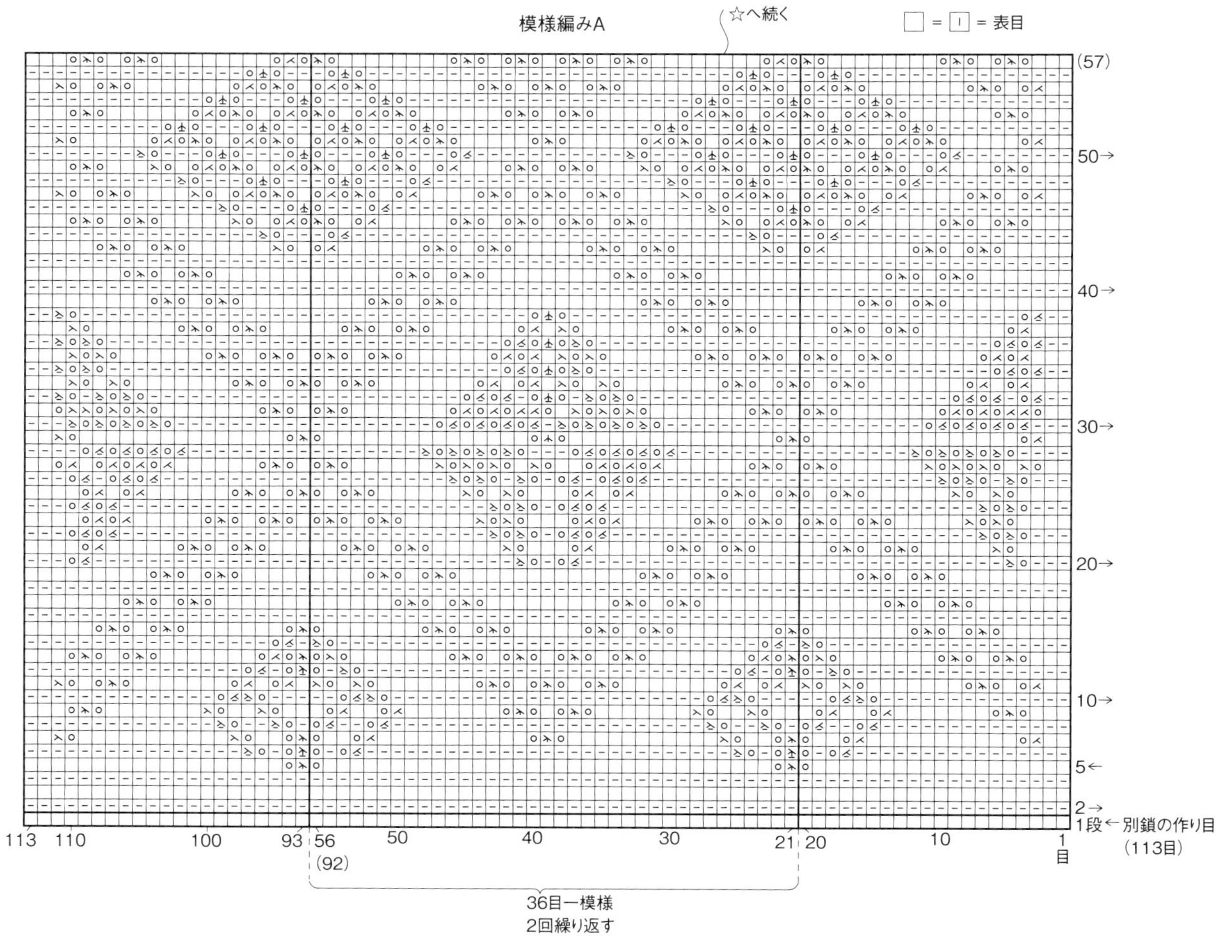

= 針に糸を2回巻きつけ(かけ目2回)、
次の段で表目、裏目と編み出す

模様編みA

□ = Ⅰ = 表目

模様編みB

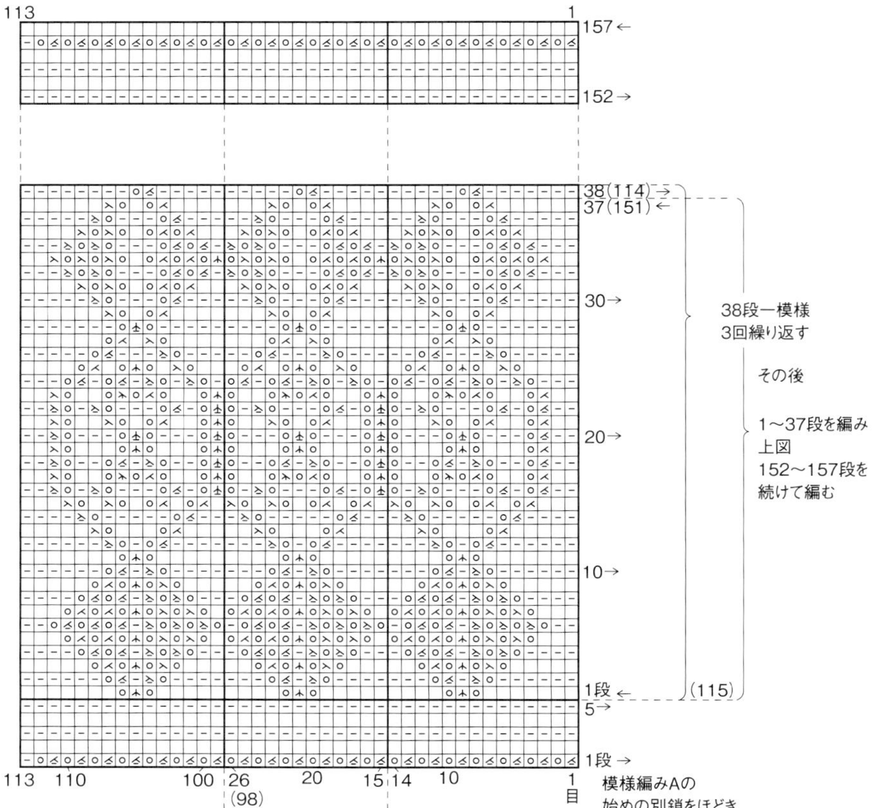

12目一模様7回繰り返す

□ = | = 表目

15

→p.30

引返し編みのカラー

【材料】 ホビーラホビーレ　ウールシェイプの白（23）60g

【用具】 2号棒針、4/0号かぎ針

【付属】 1.5cm角のビーズ2個

【ゲージ】 整形、仕上げ後32目37.5段が10cm四方

【出来上り寸法】 整形、仕上げ後のサイズは図を参照してください

【編み方ポイント】

編残しと編進みの引返し編みでカーブ（曲線）を作ります。図を参考にひもを120cm程（もしくは好みの長さ）編んで衿ぐりに通し、ビーズをつけます。

スレッドコードのひも

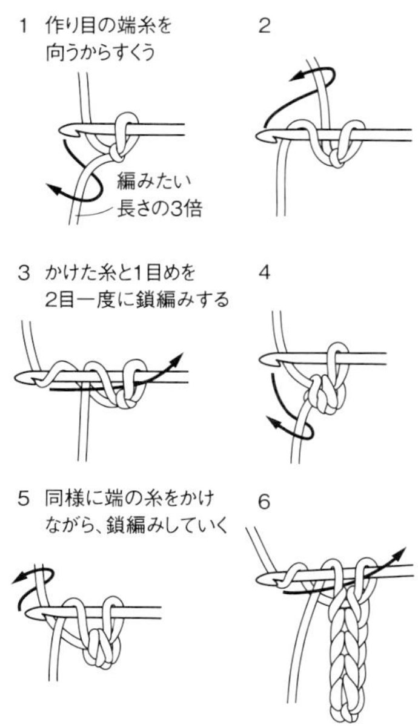

1 作り目の端糸を向うからすくう
2
編みたい長さの3倍
3 かけた糸と1目めを2目一度に鎖編みする
4
5 同様に端の糸をかけながら、鎖編みしていく
6

縁編み

最後の縁編みは、8段めまで模様編み
編始めの別鎖をほどき、9段めの目なりになるようにガーター はぎにする

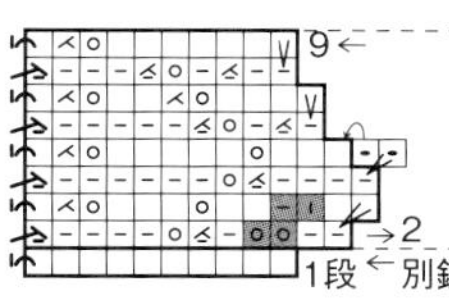

V ＝表目を編むように針を入れてすべり目

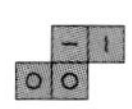
＝針に糸を2回巻きつけ（かけ目2目）
次の段で表目、裏目を編み出す

	模様編みA・B ぐるりの総数	縁編みの編みつなぎ
長い辺 （1辺分）	447段	2段ごとに1回（2段分）編みつなぐので 8段一模様×56回＝448段 （1段足りない）
短い辺 （1辺分）	113目	休み目1目に2段分編みつなぐので 112目×2回＝224段 ＝8段一模様×28回（1目余る）

縁編みの総数＝（56＋28）×それぞれ2辺分＝168

＊ 段と目の－1と＋1は長短2辺編むと±0になり
56回＋28回＝84回でぴったり納まる

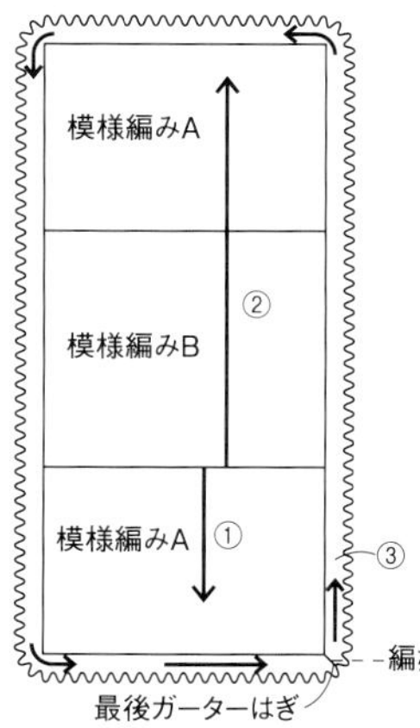

(へ) = 木 引返しの段消しの2目一度と模様編みの2目一度を同時にするので左上3目一度になる

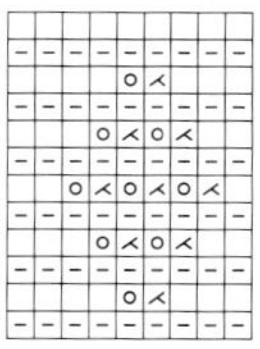

= 引返し部分　右部分を4回繰り返したら（左部分は2回繰り返したことになる）、背中心位置になるので以降は図のように図の模様編みの右上2目一度を左上2目一度に変えて対称になるように編む

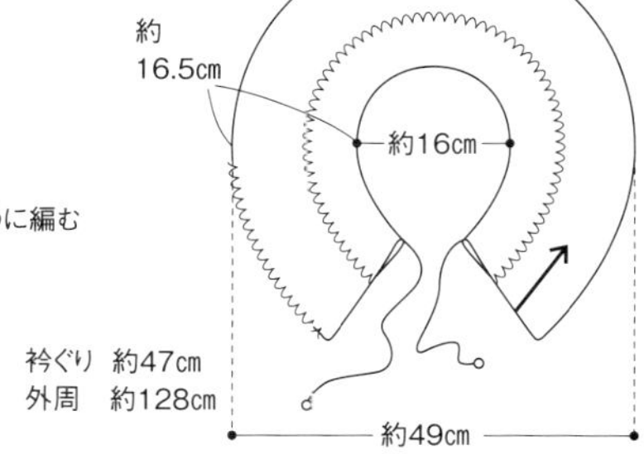

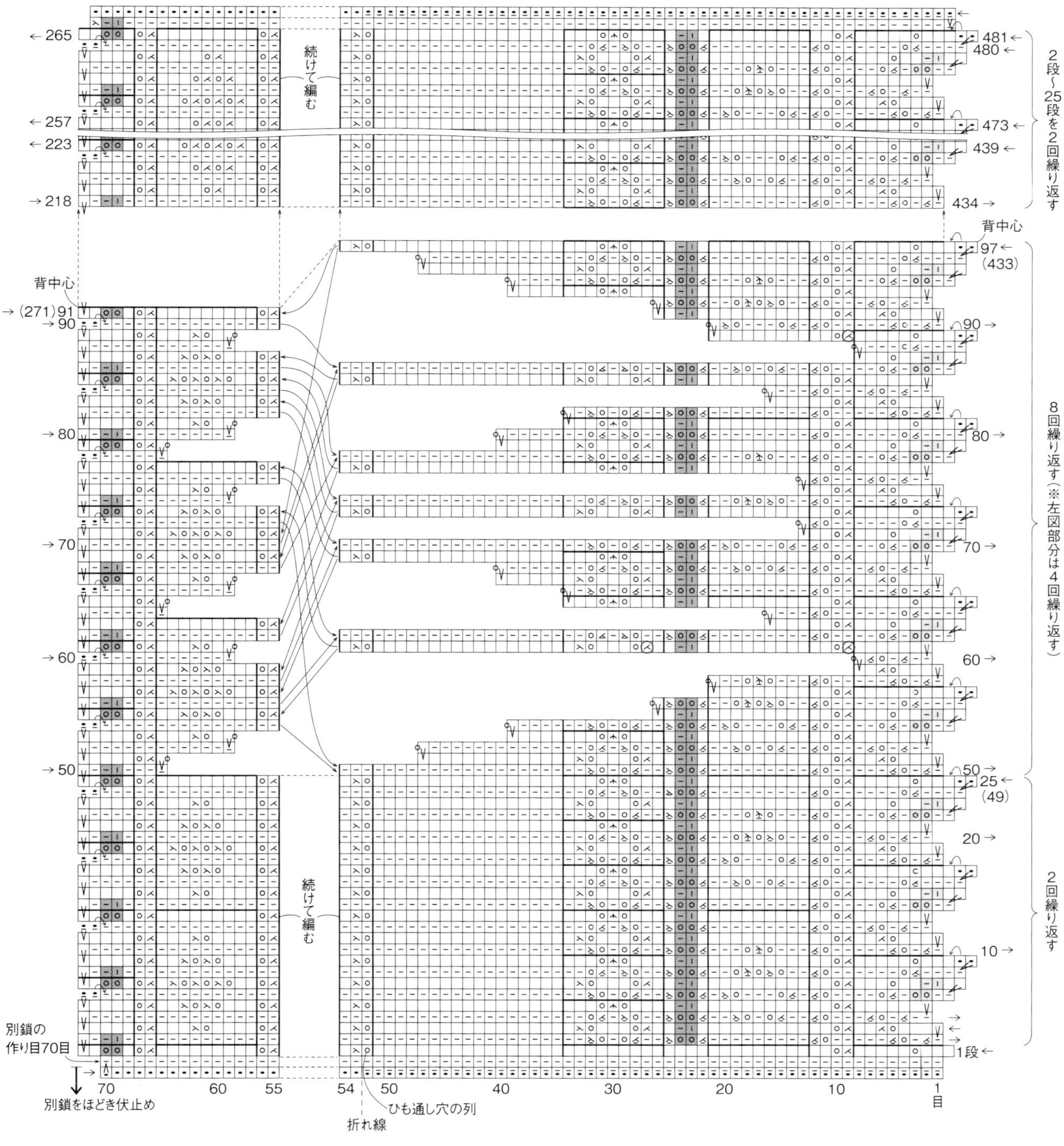

= 針に糸を2回巻きつけ（かけ目2回）、次の段で表目、裏目と編み出す

□ = | = 表目

19 →p.38

貝殻模様の格子と蜘蛛の巣のパズル・パターン

【材料】シェットランド製レース糸（1プライ・カブウェブ）のwhite 45g
【用具】1号棒針
【ゲージ】整形、仕上げ後24目37段が10cm四方
【出来上り寸法】整形、仕上げ後　幅約53cm、長さ約118cm
【編み方ポイント】
【編進み方】を参照し、模様編みAから編み始めます。最後に縁編みを編みつなぎます。
原典を参考に、エジング（縁編み）と本体を同時に編み進め、最後に2枚をはぎ合わせるやり方で編んでみましたが、エジング（縁編み）部分まで柄なりに美しくはぐには、より技術を要するので、本体を編んだあとで、縁編みを編みつける方法にまとめています。

【編進み方】
① 別鎖の作り目（101目）で模様編みAを89段めまで編み、休み目にします。
② ①と同様に模様編みAを90段めまで編みます。90段めでは、両端で巻増し目をし、103目に整え、続けて模様編みBを編みます。304段めまで編めたら①とガーターはぎにします。103目と101目の差の2目分は、はぐときに両端で調整します。
③ 模様編みAの別鎖をほどき、針に戻し、縁編みaを1目ごとに2段分として編みつなぎます。長い辺の両端で縁編みbを、その他は縁編みaを2段ごとに1回（2段分）編みつなぎます。作り目の別鎖をほどき、ガーターはぎにします。

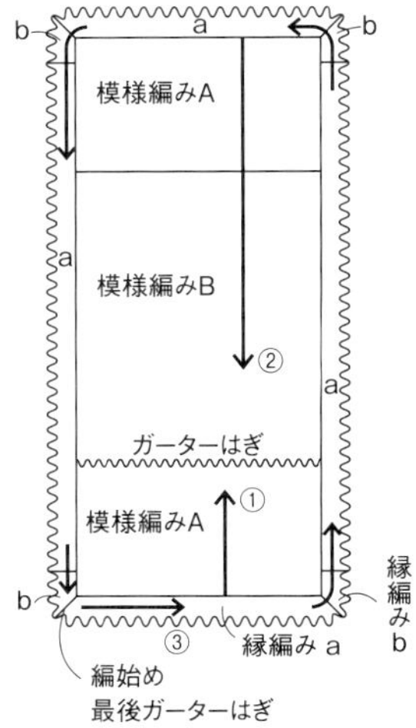

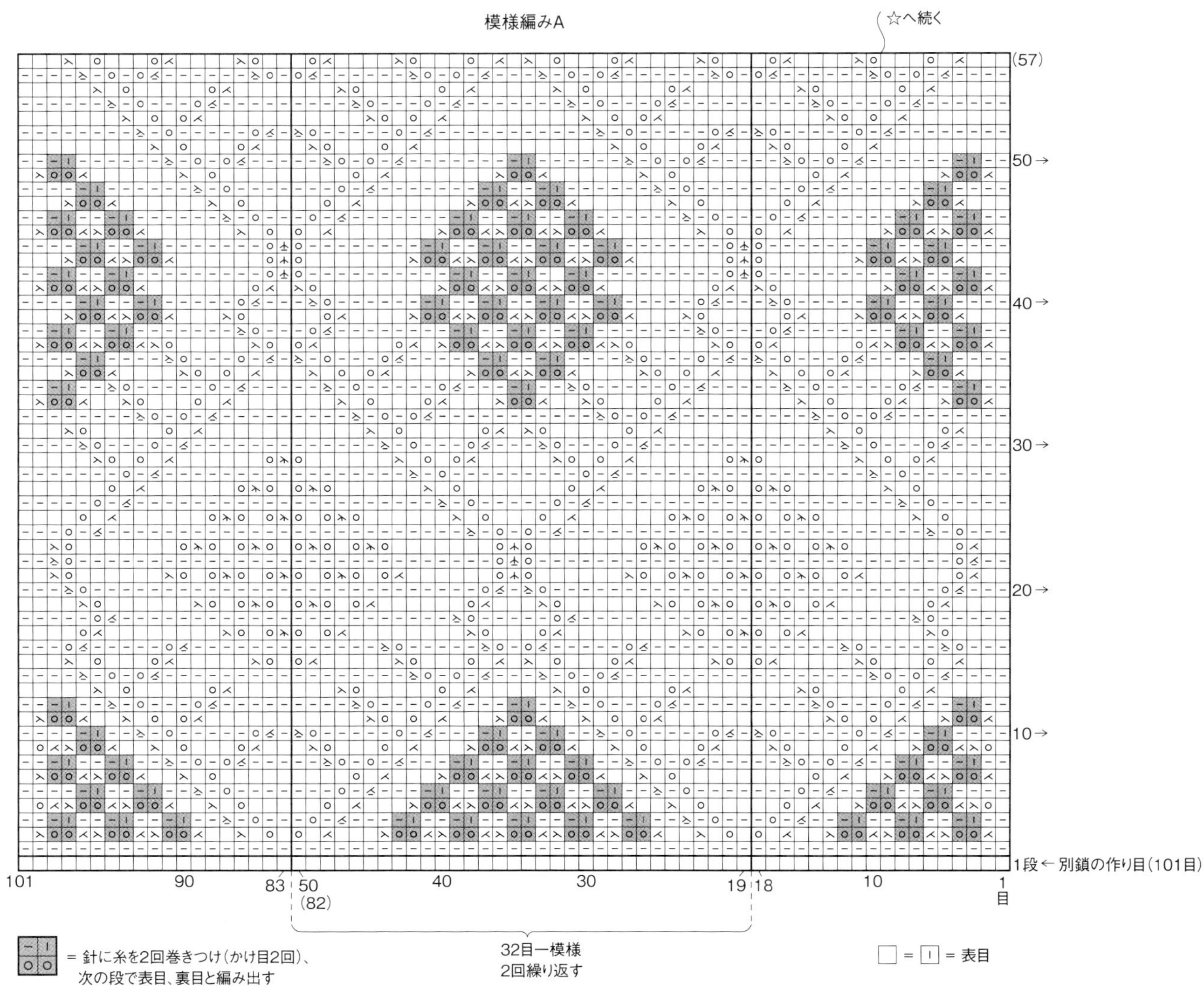

模様編みB

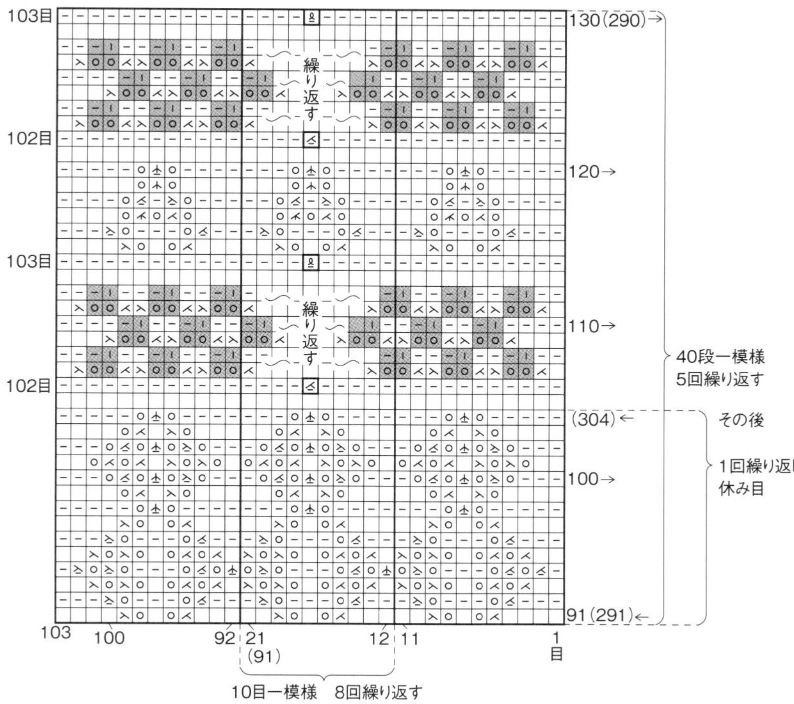

⊻ ＝中心で1回のみ減し目(−1)して102目にする

[網掛け記号] ＝ 針に糸を2回巻きつけ(かけ目2回)、次の段で表目、裏目と編み出す

⍝ ＝中心で1回のみ増し目(目と目の間の渡り糸をねじって1目編み出す)(+1)して103目にする

□ ＝ | ＝ 表目

模様編みA

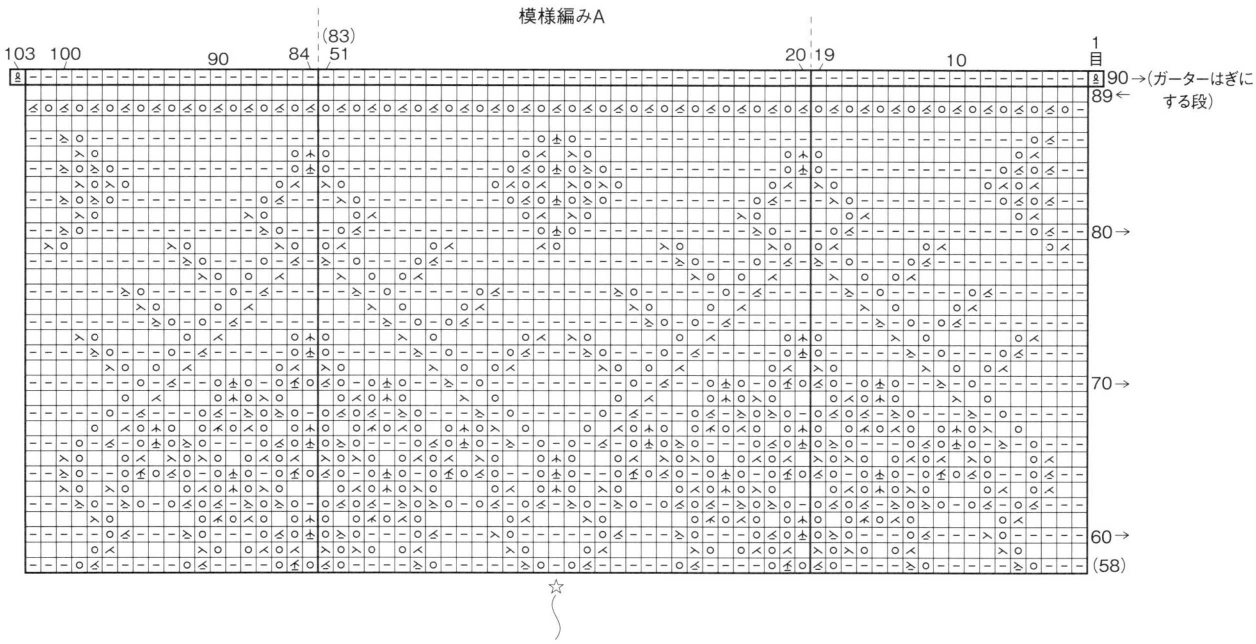

縁編みa

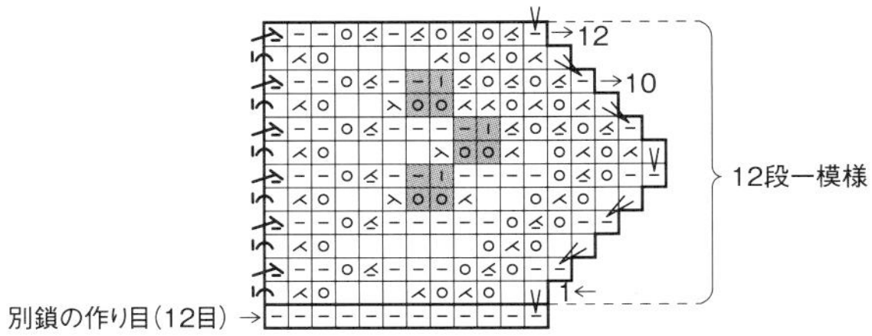

V = 表目を編むように針を入れてすべり目

縁編みb

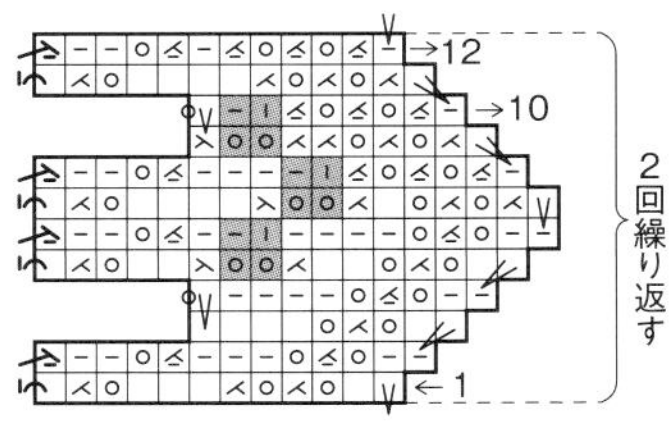

= 針に糸を2回巻きつけ(かけ目2回)、次の段で表目、裏目と編み出す

□ = ｜ = 表目

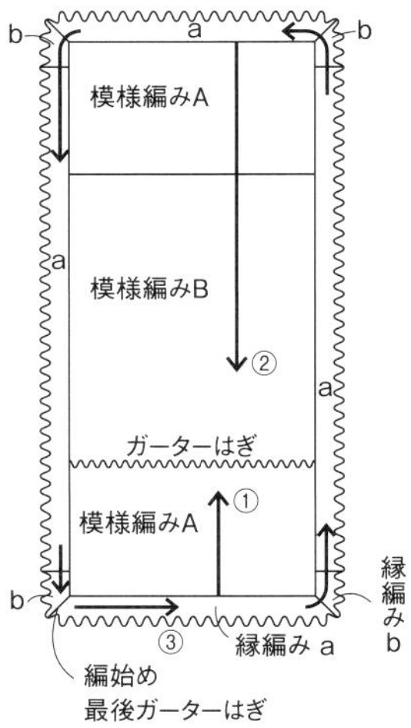

17

→p.34

分散増し目のカラー

【材料】ホビーラホビーレ　プチソワの生成り（01）25g

【用具】0号棒針、4号（1.25mm）レースかぎ針

【付属】トーホービーズ　3mmパール260個

【ゲージ】整形、仕上げ後34目53段が10cm四方

【出来上り寸法】整形、仕上げ後のサイズは図を参照してください

【編み方ポイント】

分散増し目で衿ぐり部分から編み始めます。

最終段を編む手前でいったん糸を切り、ビーズを通し、図の位置でビーズを目と目を編む間に編み込みます。伸縮性のある裏目の伏止めをし、波形に裾部分を仕上げます。伏止めに続けて、糸を切らずに縁編みを最後に編みつけます。

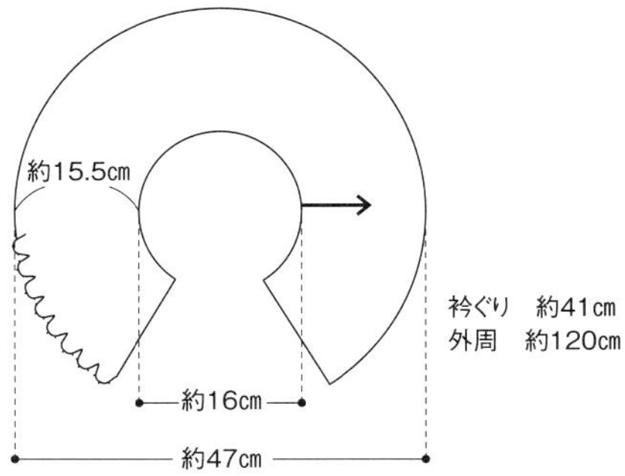

	模様編みA·B ぐるりの総数	縁編みの編みつなぎ
短い辺（1辺分）	101目	休み目1目に2段分編みつなぐので 96目×2段＝192段＝縁編みa 12段一模様×16回 ＋ 5目×2段＝10段＝縁編みa 12段一模様の10段めまで ॥ 101目
長い辺（1辺分）	89＋1（ガーターはぎ） ＋304＝394段	残りの2段（11～12段分）＝2段 ＋ 縁編みb 8段分×2回×両端2回＝32段 ＋ 縁編みa 12段一模様 × 30回 ＝ 360段

縁編みの総数＝（16＋1＋4＋30）回×それぞれ2辺分＝102模様

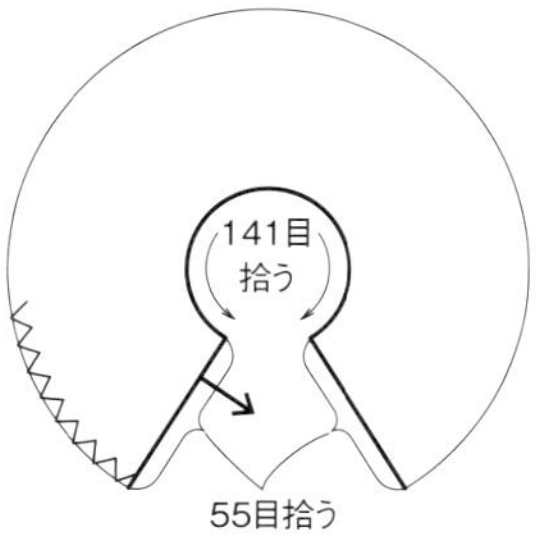

縁編み(4号レースかぎ針)

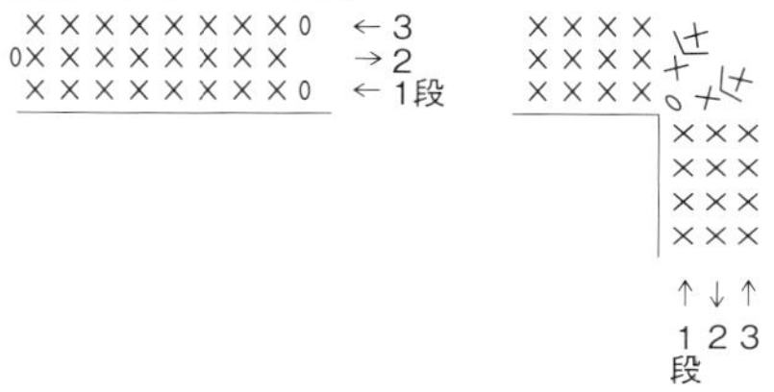

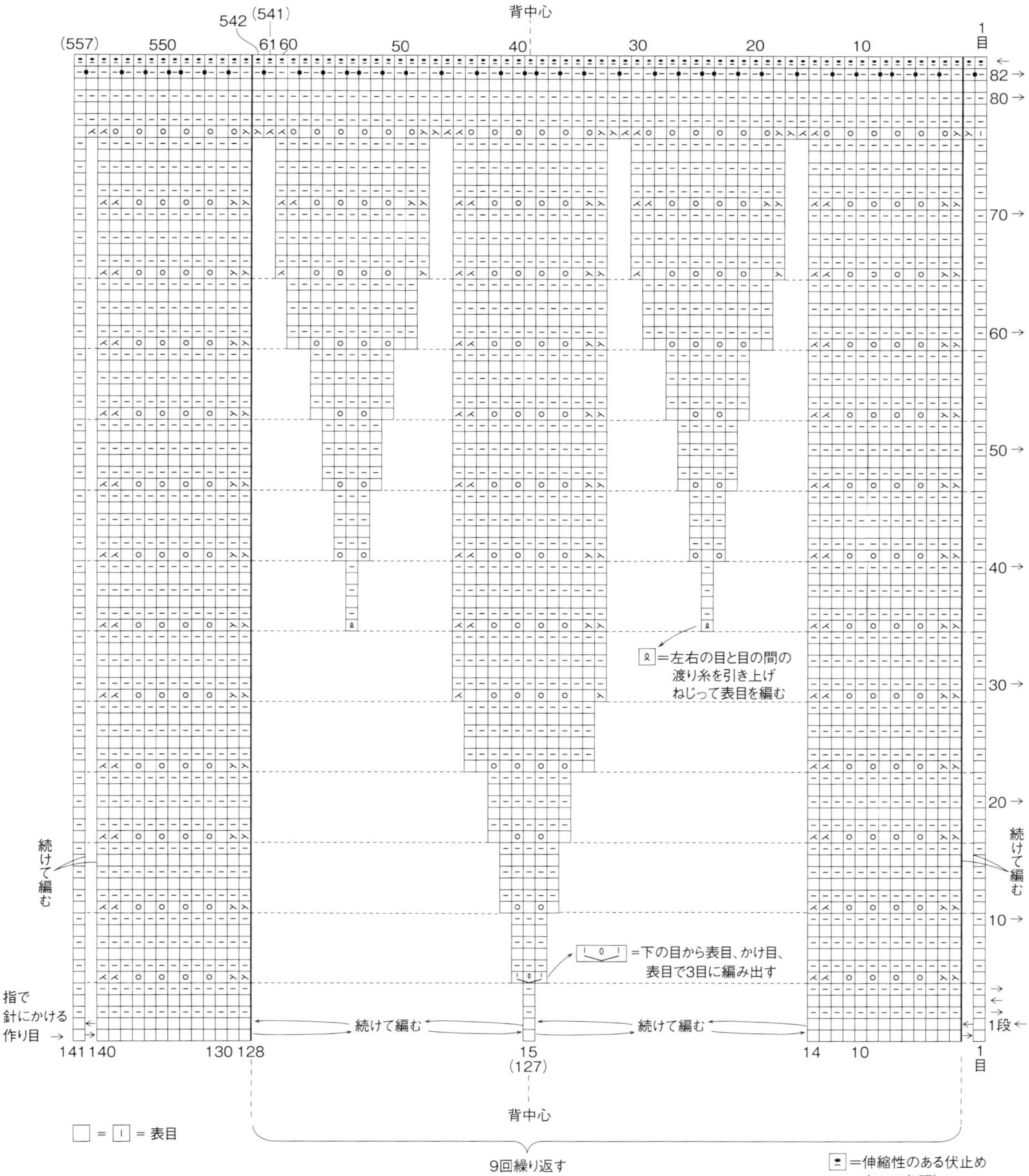

□ = | = 表目

= 伸縮性のある伏止め
(P.47参照)

= ビーズ編込み位置

21 →p.42

大判正方形の
シェットランド・ショール（白）

【材料】 シェットランド製レース糸（1プライ・カブウェブ）のwhite 210g

【用具】 1号棒針

【ゲージ】 整形、仕上げ後　模様編みB26目36段が10cm四方

【出来上り寸法】 整形、仕上げ後　約150cm四方

【編み方ポイント】

【編進み方】を参照し、縁編みから編み始めます。

【編進み方】

①　別鎖の作り目（19目）で縁編み8段一模様を352回（2816段）編み（p.103）、始めの別鎖をほどき、ねじれないようにガーターはぎで輪につなぎます。縁編み352模様÷4＝88模様ごとに4等分の印を入れておきます。

②　縁編みより拾い目をします。2段ごとのすべり目を頼りに2段ごとに1目ずつ拾います。一辺88模様×一模様8段＝704段÷2＝352目（352目×4辺＝1408目）。以後、模様編みAを輪に94段まで編み、1辺以外の残りの3辺は休み目にします。

③　模様編みAの1辺より、往復編みで模様編みBを361段まで編みます（p.102）。残り3辺はそれぞれつれないように、模様編みBにガーターはぎ、目と段のはぎにします。

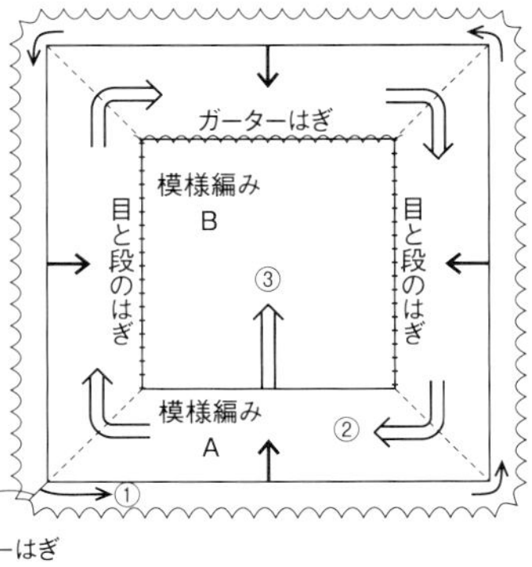

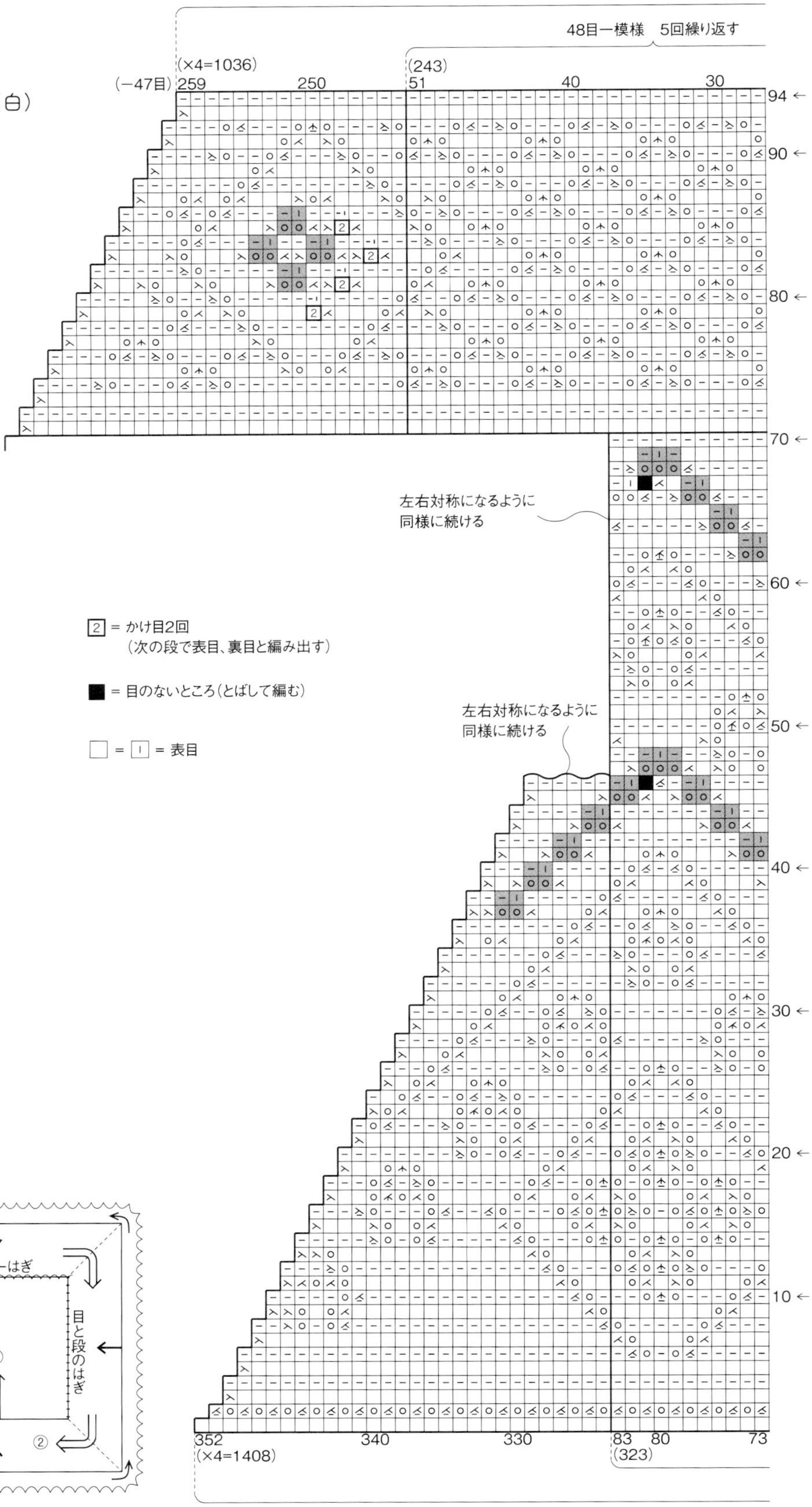

2 ＝ かけ目2回
（次の段で表目、裏目と編み出す）

■ ＝ 目のないところ（とばして編む）

□ ＝ | ＝ 表目

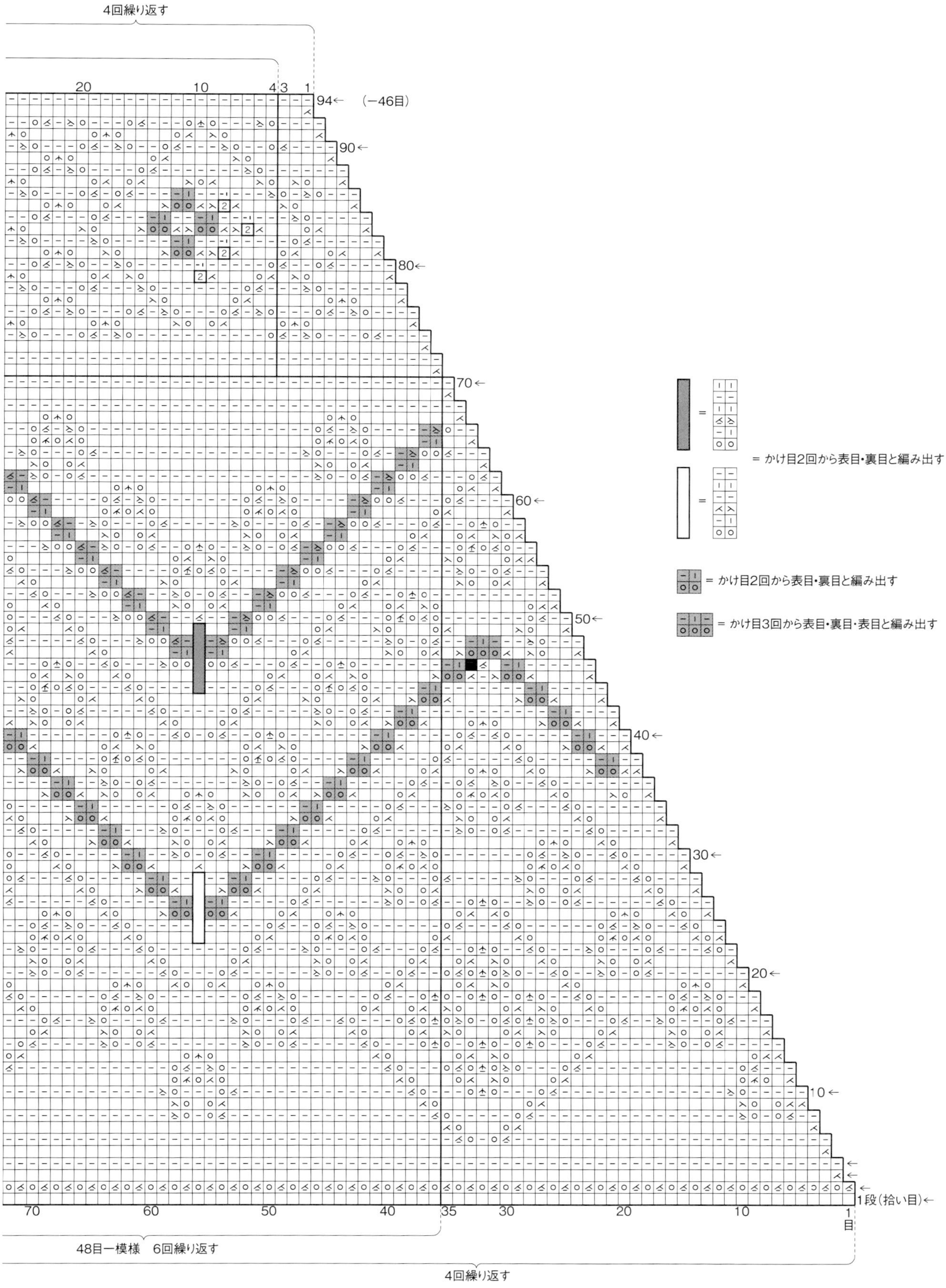
4回繰り返す
94←
(−46目)
90←
80←
70←
60←
50←
40←
30←
20←
10←
1段(拾い目)←
1目
48目一模様　6回繰り返す
4回繰り返す
= かけ目2回から表目・裏目と編み出す
= かけ目2回から表目・裏目と編み出す
= かけ目3回から表目・裏目・表目と編み出す

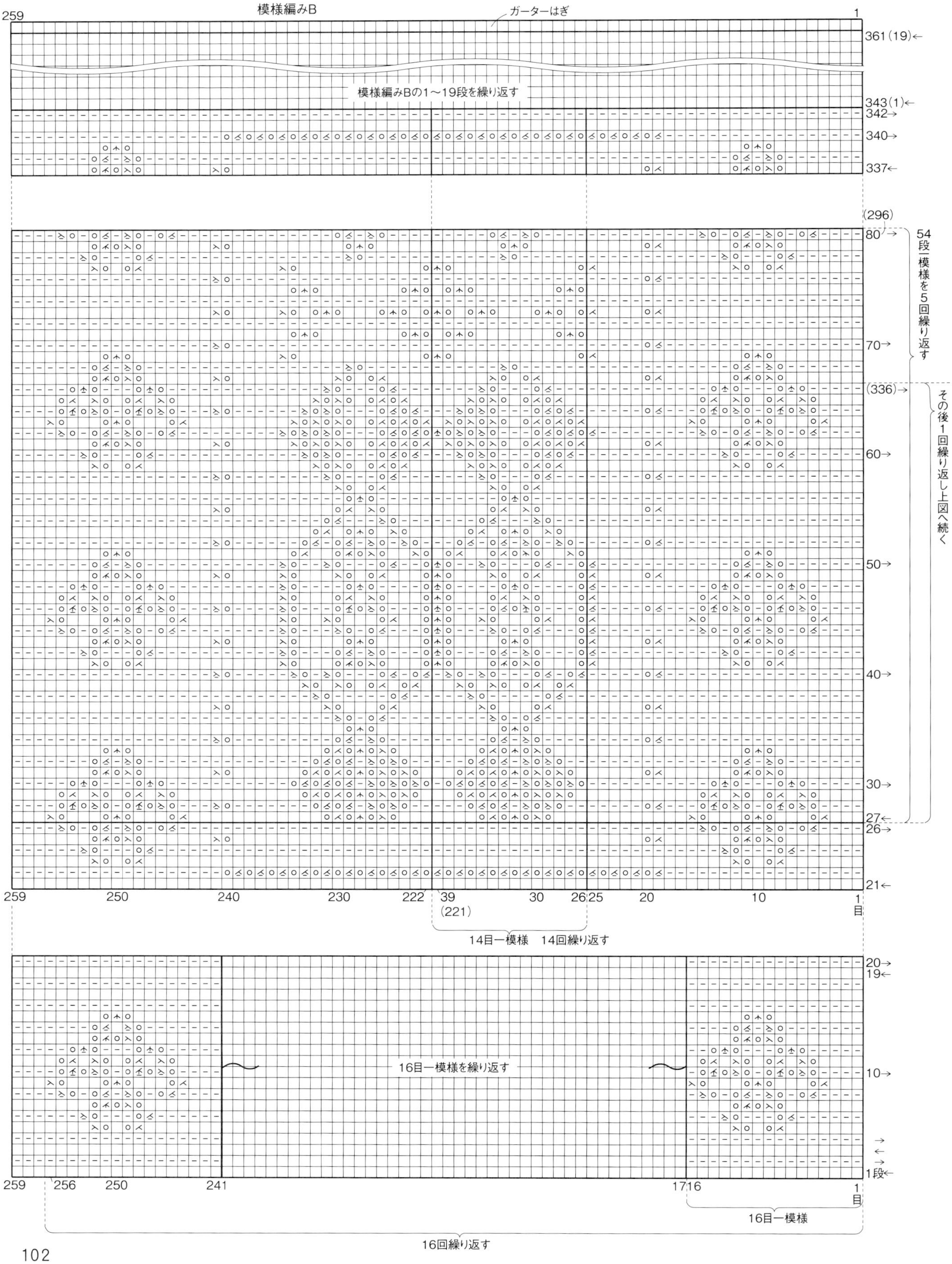

模様編みB
ガーターはぎ
259
1
361(19)←
模様編みBの1～19段を繰り返す
343(1)←
342→
340→
337←
(296)
80→
54段一模様を5回繰り返す
70→
(336)→
その後1回繰り返し上図へ続く
60→
50→
40→
30→
27←
26→
21←
259 250 240 230 222 39 30 26 25 20 10 1
(221)
目
14目一模様　14回繰り返す
20→
19←
16目一模様を繰り返す
10→
1段←
259 256 250 241 17 16 1
目
16目一模様
16回繰り返す

緑編み

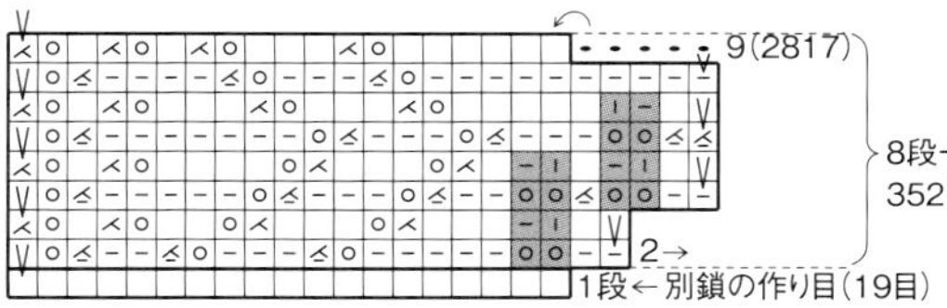

V = 表目を編むように針を入れてすべり目

□ = [|] = 表目

= 針に糸を2回巻きつけ（かけ目2回）、次の段で表目、裏目と編み出す

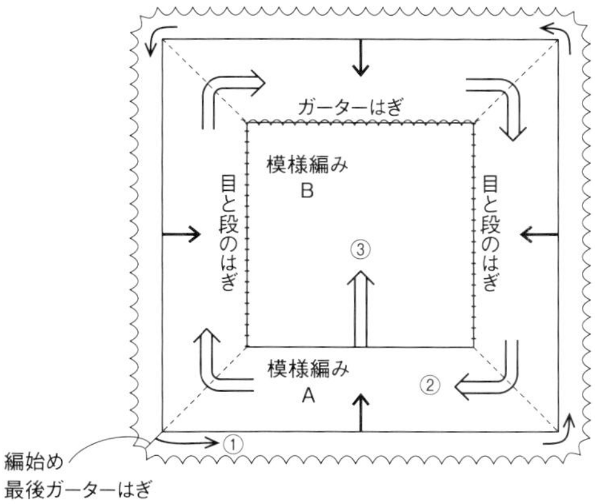

259目と361段のはぎの例

1−2−2
1−1−2 } 2回
1−2−1
1−1−2 } 24回
1−2−1
1−1−2 } 6回
1−1−1
目ごとに 段を 回

22 →p.44

大判正方形の シェットランド・ショール（黒）

【材料】 シェットランド製レース糸（1プライ・カブェブ）の black 160g
【用具】 2号棒針
【ゲージ】 整形、仕上げ後　模様編みB 23目31段が10cm四方
【出来上り寸法】 整形、仕上げ後　約150cm四方
【編み方ポイント】
【編進み方】を参照し、緑編みから編み始めます。
【編進み方】
① 別鎖の作り目（23目）で緑編み12段一模様を196回（2351段めまで）編み（p.106）、編始めの別鎖をほどき、最後の段は、目なりのガーターはぎで、ねじれないように輪につなぎます。緑編み196模様÷4＝49模様ごとに4等分の印を入れておきます。
② 緑編みより、2段ごとに1目ずつ拾い目をし、印をつけた個所からは、余分に1目拾います。一辺49模様×一模様12段＝588段÷2＝294目＋余分に拾う1目＝295目。模様編みAを台形に102段めまで編み（p.104）、休めます。同様に残りの3辺も編みます。
③ 台形の1辺A−aの休み目より、模様編みBを257段編み、休めます。台形の斜辺をそれぞれすくいとじにし、模様編みBの休み目とA−cはガーターはぎに、A−bとA−dは目と段のはぎにします。それぞれつれないように気をつけます。

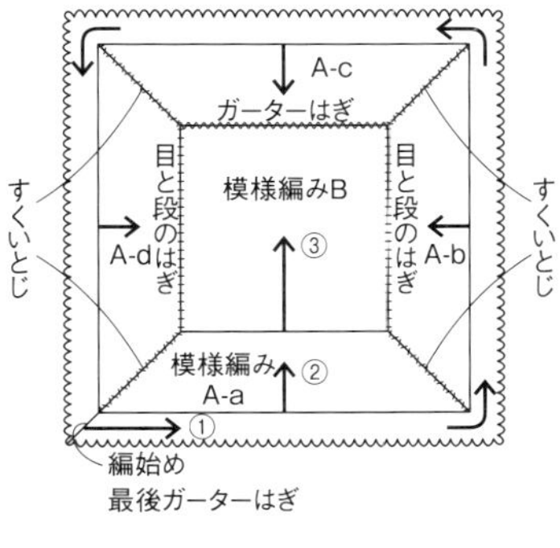

模様編みA

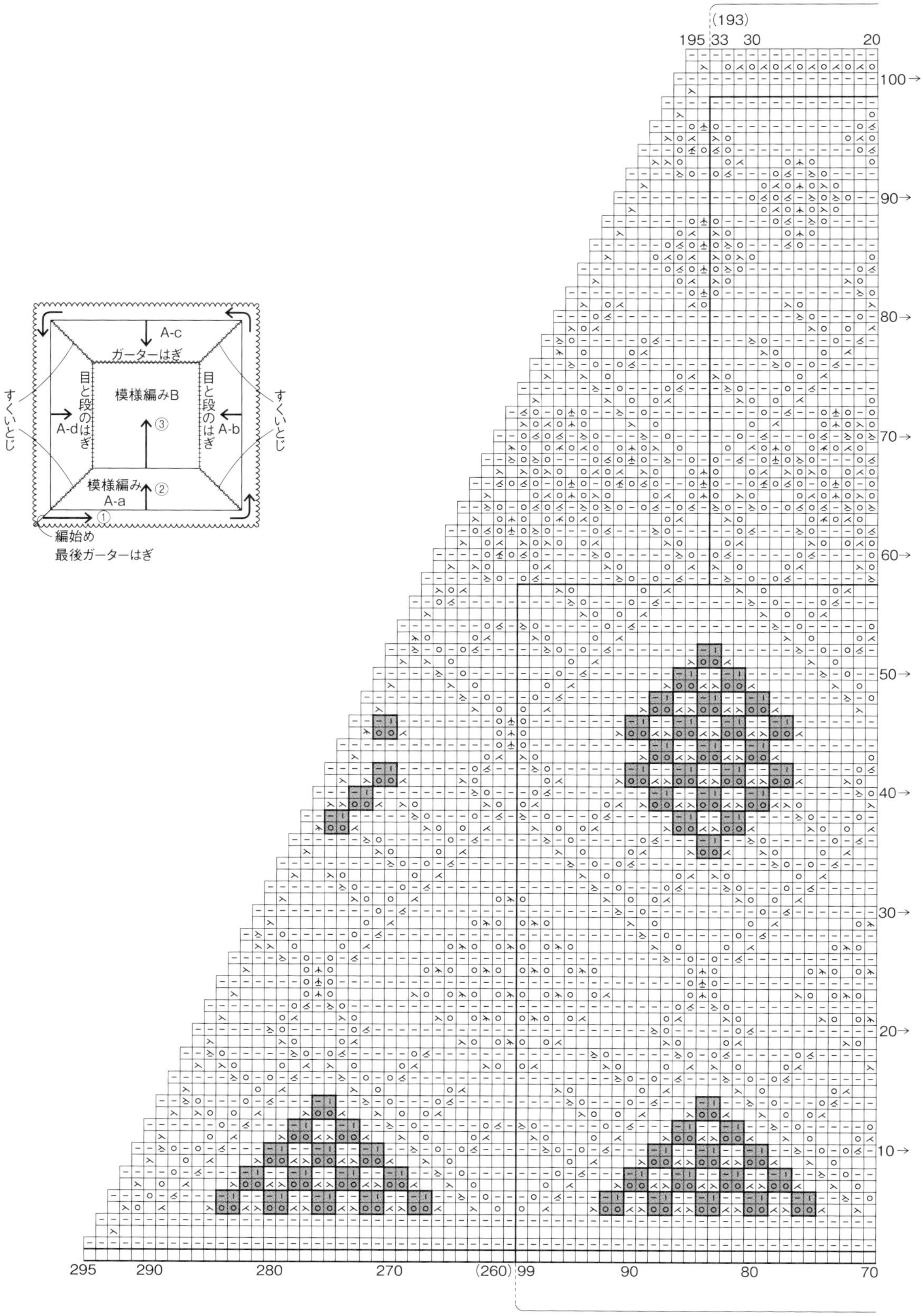

A-c
ガーターはぎ
目と段のはぎ
模様編みB
目と段のはぎ
すくいとじ
すくいとじ
A-d
A-b
③
模様編み
A-a
②
①
編始め
最後ガーターはぎ
(193)
195 33 30 20
100→
90→
80→
70→
60→
50→
40→
30→
20→
10→
295 290 280 270 (260) 99 90 80 70

32目一模様を6回繰り返す

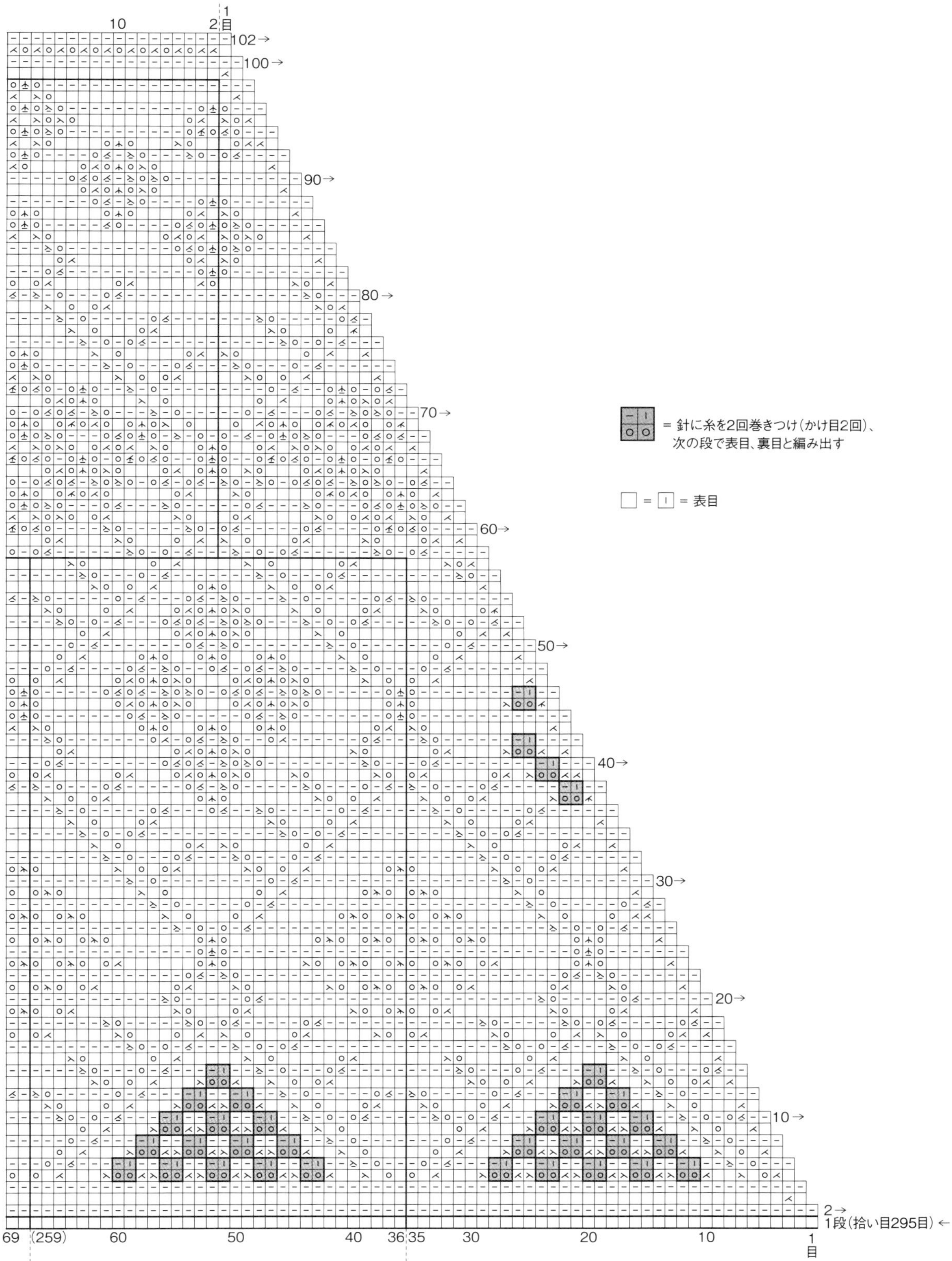

32目+32目=64目一模様を3回繰り返す

その後

1回繰り返し、続けて260目〜編む

= 針に糸を2回巻きつけ(かけ目2回)、次の段で表目、裏目と編み出す

□ = Ｉ = 表目

模様編みB

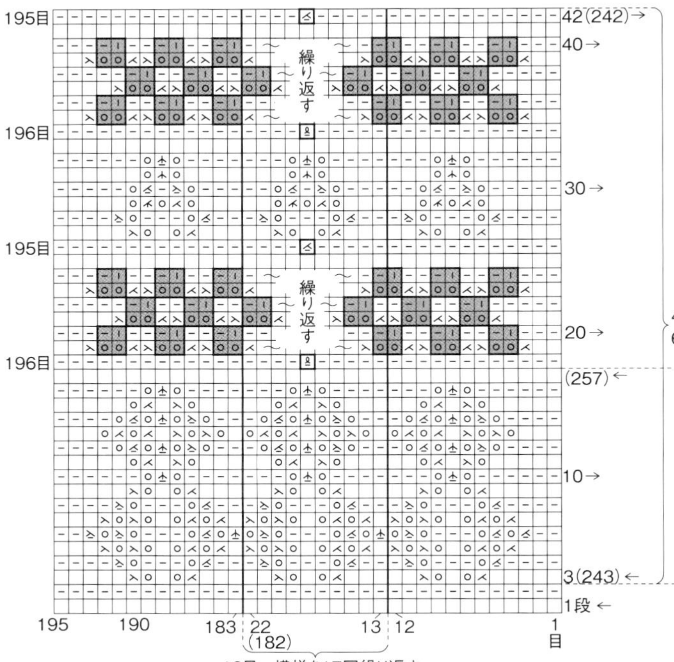

10目一模様を17回繰り返す

縁編み

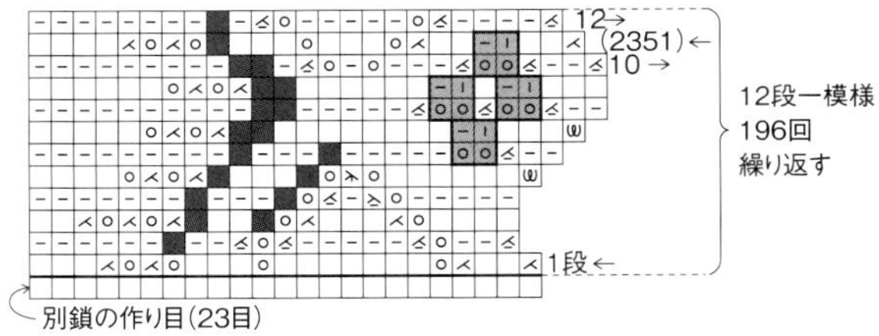

最後の縁編みは11段まで編み、編始めの別鎖をほどき、12段めの目なりになるようにガーターはぎにする

= 針に糸を2回巻きつけ(かけ目2回)、次の段で表目、裏目と編み出す

=目のないところ(とばして編む)

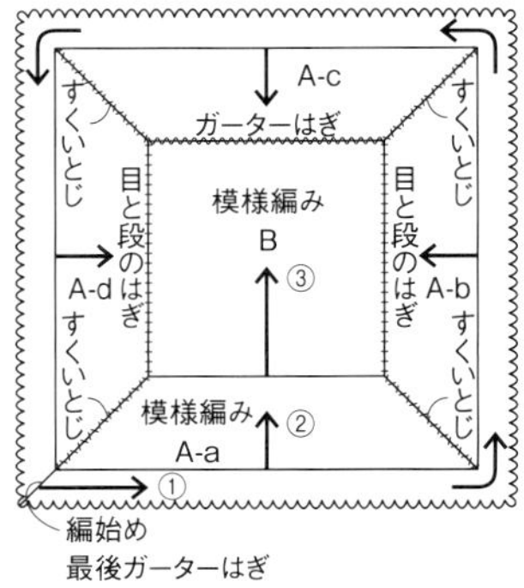

=中心で1回のみ減し目(−1)して195目にする　=中心で1回のみ増し目(目と目の間の渡り糸をねじって1目編み出す)(+1)して196目にする

= = 表目

《基本のテクニック》

………… かぎ針編み …………

編み目記号と編み方

○ 鎖編み目

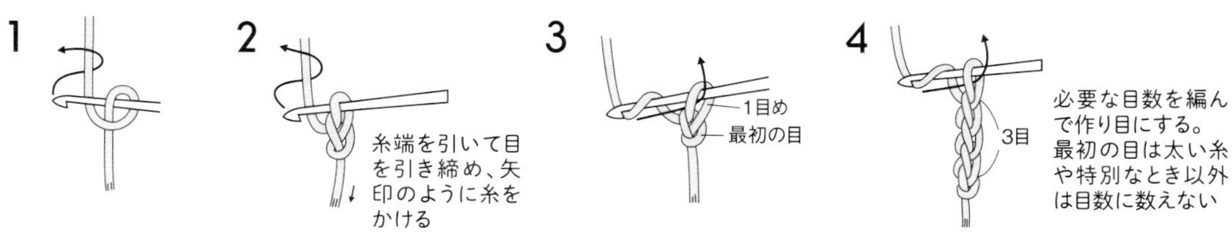

× 細編み

鎖1目で立ち上がって編む。立上りの1目は目数に数えない。

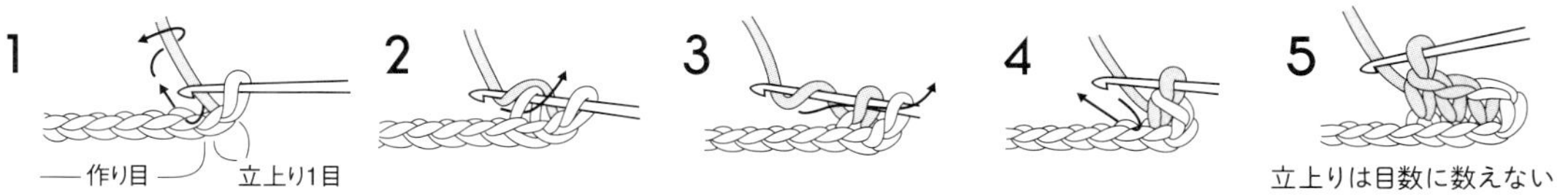

細編みを1目増す

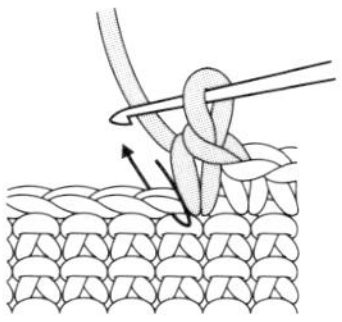

1 増す位置の同じ目から糸を引き出す

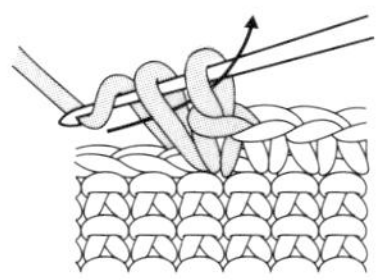

2 細編みを編む

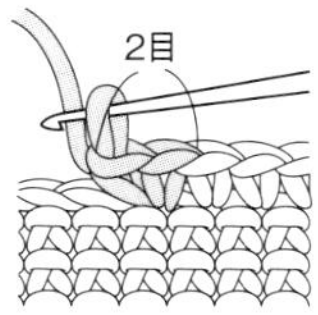

3 全段の1目に細編みを2目編み入れたところ

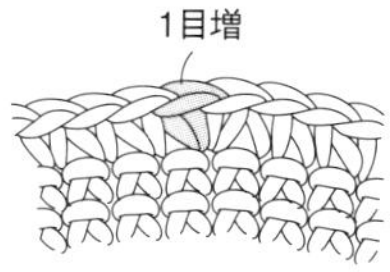

畝編み（往復編みの場合）

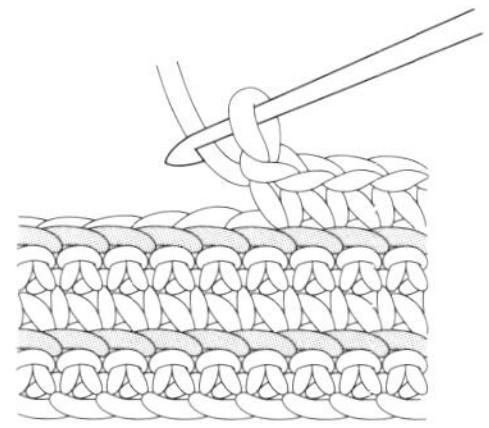

棒針編み

作り目

●指で針にかける作り目

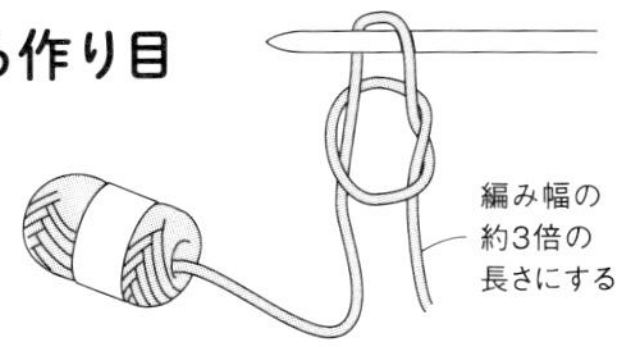

1 1目めを指で作って針に移し、糸を引く

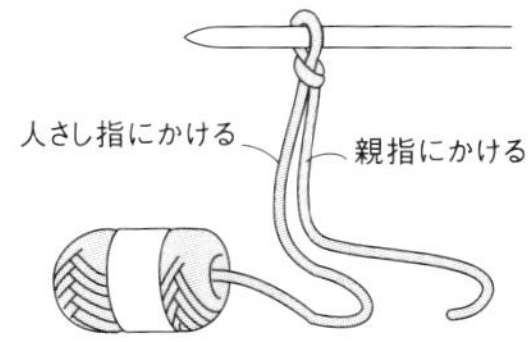

2 1目めの出来上り

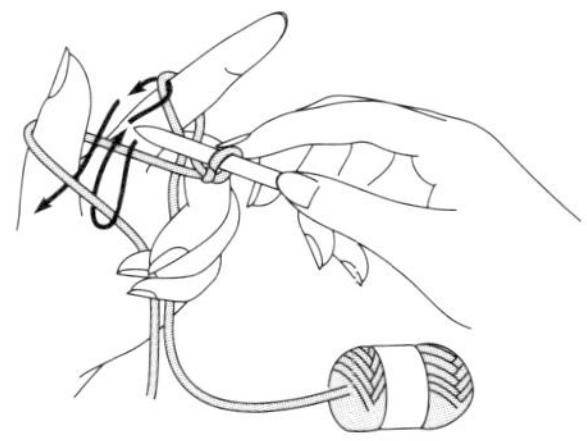

3 矢印のように針を入れて、かかった糸を引き出す

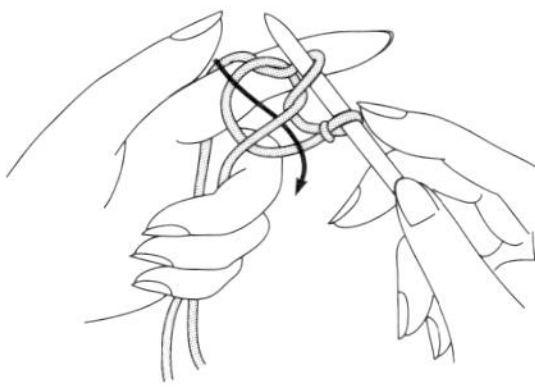

4 親指の糸をいったんはずし、矢印のように入れ直して目を引き締める

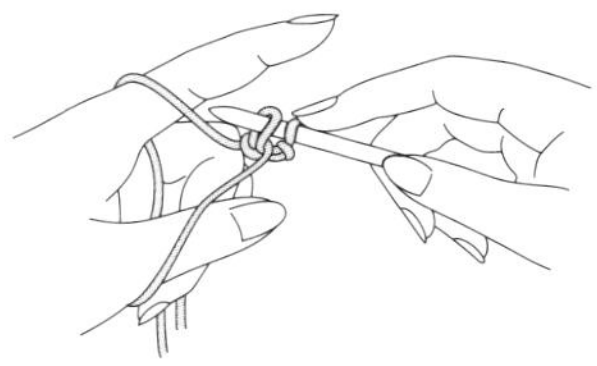

5 2目めの出来上り

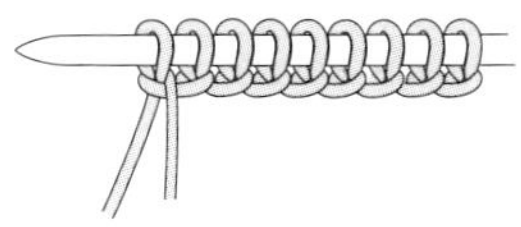

6 出来上り。この棒針を左手に持ち替えてを編む

●別鎖の作り目

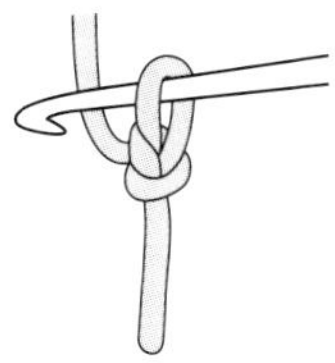

1 編み糸に近い太さの糸で、鎖編みをする

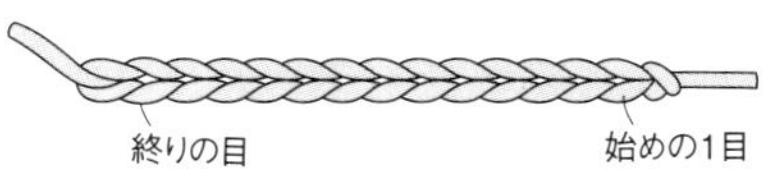

2 ゆるい目で必要目数の2、3目多く編む

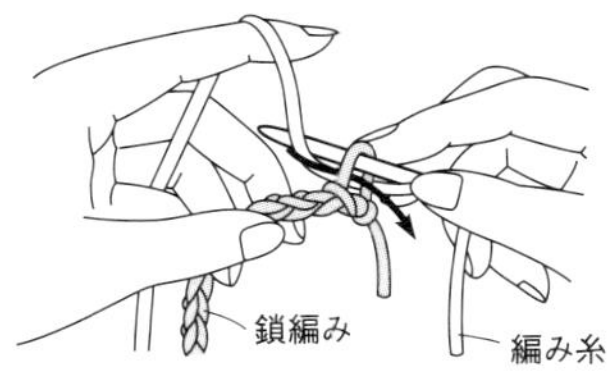

3 編み糸で、鎖の編始めの裏の山に針を入れる

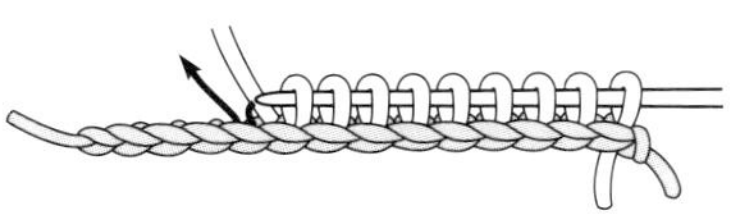

4 必要数の目を拾っていく

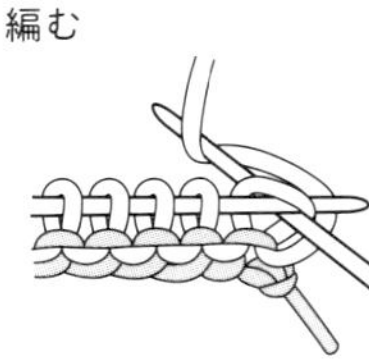

5 編み地を返して、1段めを編む
──表編み

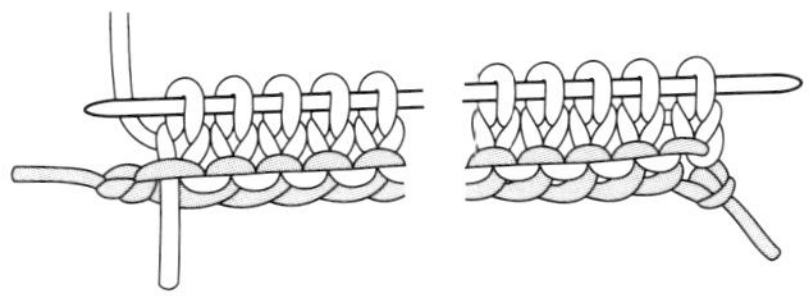

6 1段めの編終り

●輪の作り目

1 糸端で2重の輪を作る。棒針を使って表目の要領で糸を引き出す。次の目はかけ目（この次の目を裏目に編むこともある）

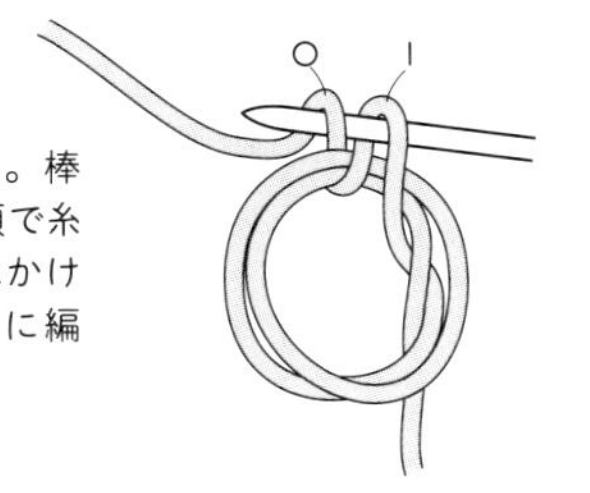

2 表目、かけ目を繰り返して必要な目数を作る。後に輪を引き締める

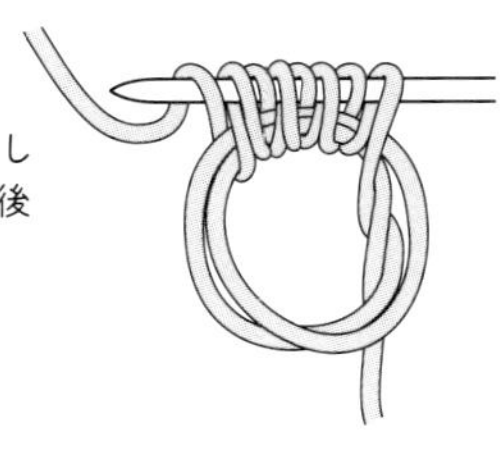

編み目記号と編み方

| 表目

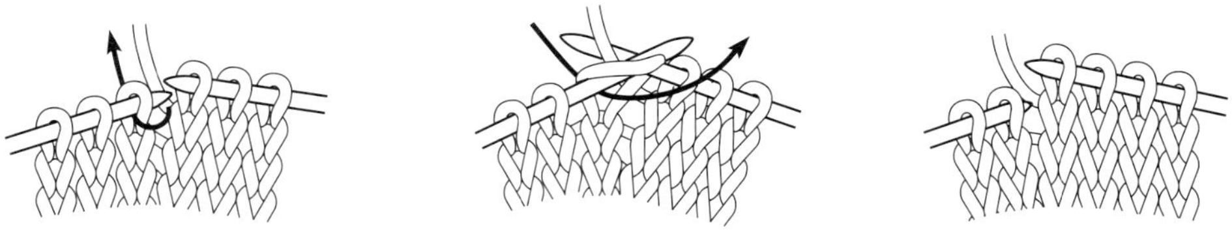

1 糸を向う側に置き、手前から右針を左針の目に入れる

2 右針に糸をかけ、矢印のように引き出す

3 引き出しながら、左針から目をはずす

― 裏目

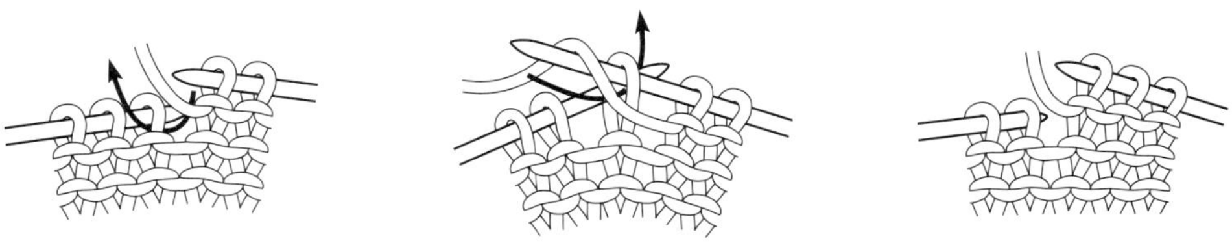

1 糸を手前に置き、左針の目の向う側から針を入れる

2 右針に糸をかけ、矢印のように引き抜く

3 引き出しながら、左針から目をはずす

○ かけ目

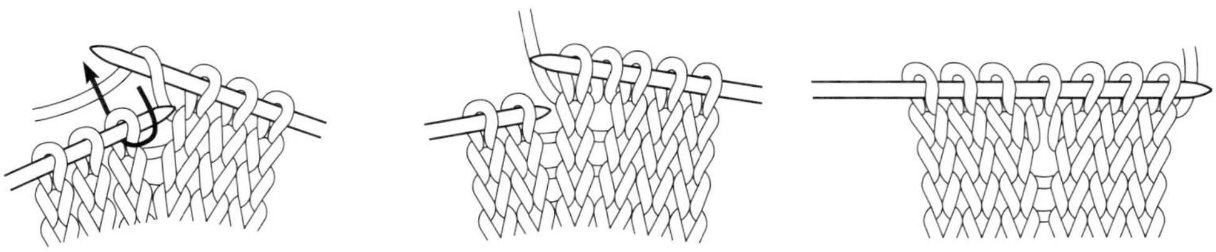

1 糸を手前からかけ、次の目を編む

2

3 次の段を編むとかけ目のところに穴があき、1目増したことになる

右上2目一度（表目）

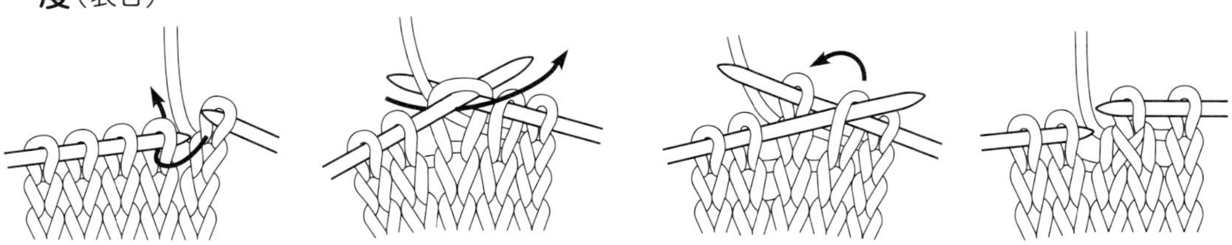

1 編まずに手前から右針に移す

2 次の目を編む

3 移した目を編んだ目にかぶせる

4 1目減し目

左上2目一度（表目）

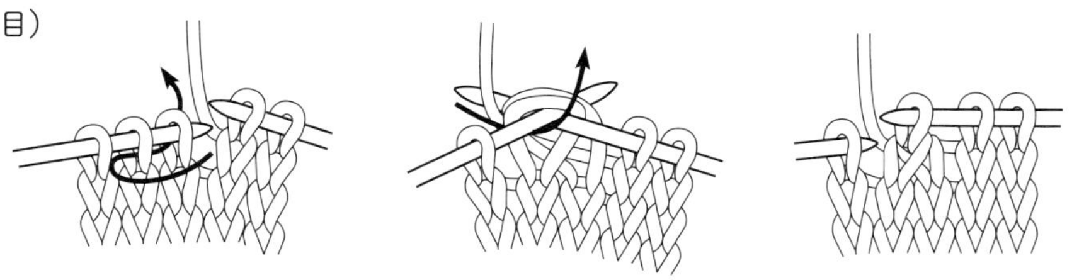

1 2目一緒に手前から針を入れる

2 糸をかけて編む

3 1目減し目

右上2目一度（裏目・奇数段の場合）

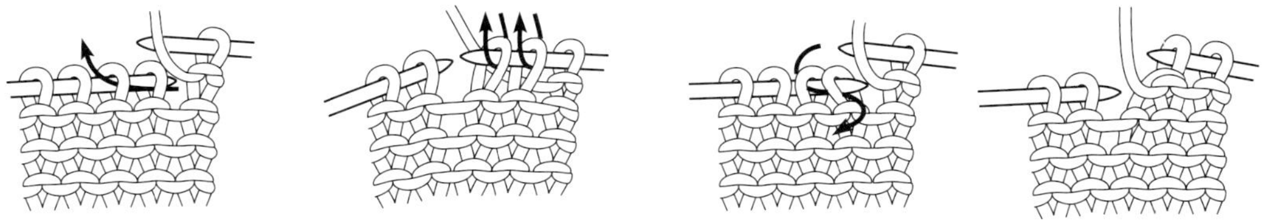

1 編まずに2目右針に移す

2 移した目に矢印のように針を入れ、向きを変えて左針に移す

3 2目一緒に矢印のように右針を入れ、編む

4 1目減し目

左上2目一度（裏目・奇数段の場合）

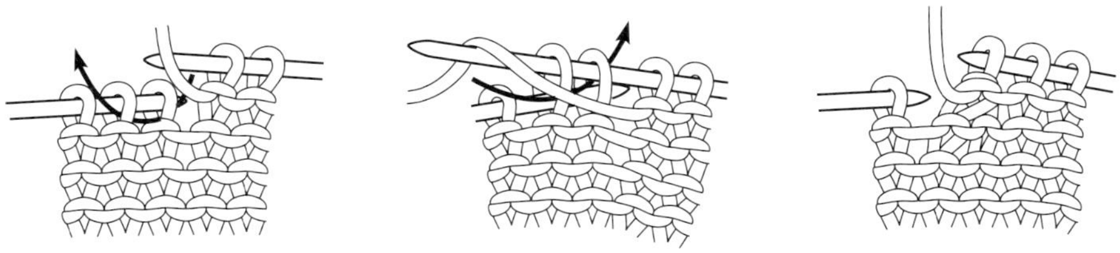

1 2目一緒に向う側から針を入れる

2 糸をかけて編む

3 1目減し目

中上3目一度

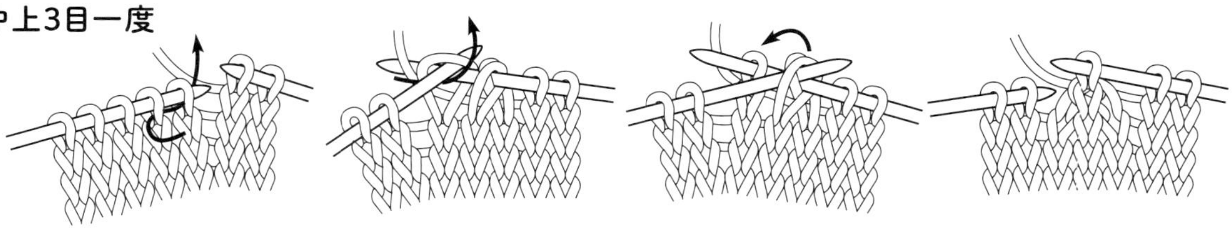

1 2目一緒に手前から右針を入れ、編まずにそのまま右針へ移す

2 次の目を編む

3 編んだ目に移した2目をかぶせる

4 2目減し目

右上3目一度

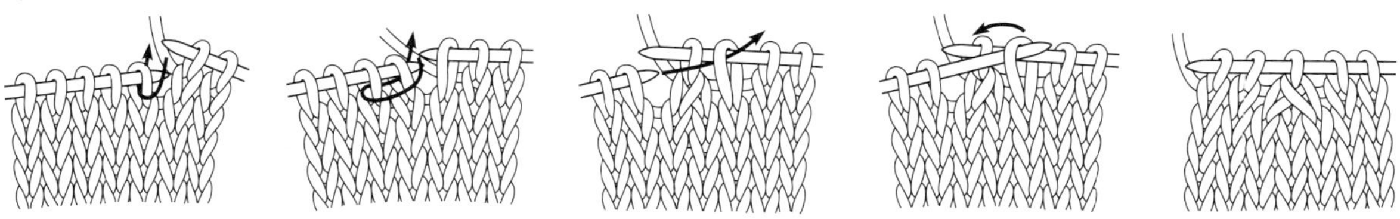

1 矢印のように針を入れ、1目めを編まずに右の針に移す

2 次の2目を左上2目一度に編む

3 1目めに左の針を入れる

4 2で編んだ目にかぶせる

5 2目減し目

左上3目一度

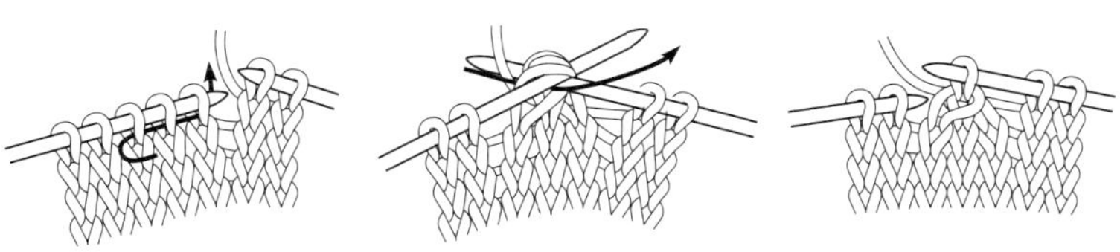

1 3目一緒に手前から右針を入れる

2 3目を一緒に編む

3 2目減し目

●ドライブ編み（3回巻き）

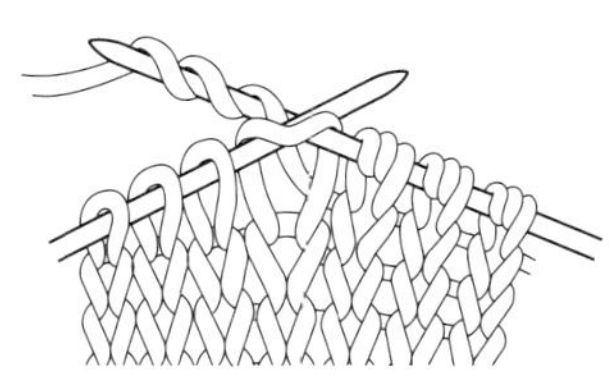

右針に糸を3回巻きつけて編む。次の段を編むときに、巻きつけた糸を針からはずして編むと、その目が長くなる

編み方とまとめのポイント

●ガーター編みの端をきれいに編む方法

［ A 糸を手前に置く方法 ］

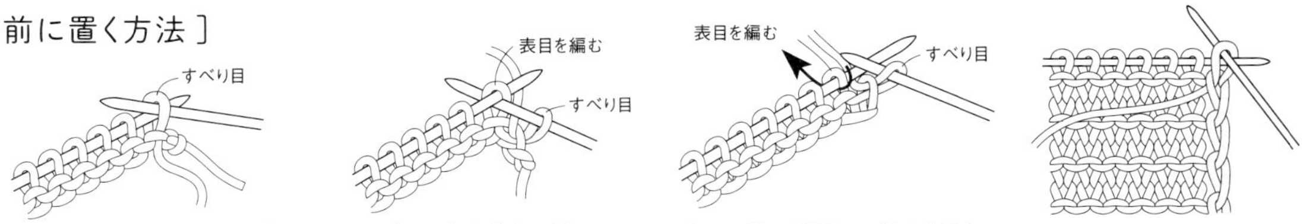

1 2段め。編み糸を手前に置き、端目をそのまま右針に移す

2 編み糸を向うに渡して2目めから表目を編む

3 3段め以後は2段めと同じ

［ B 糸を向う側に置く方法 ］

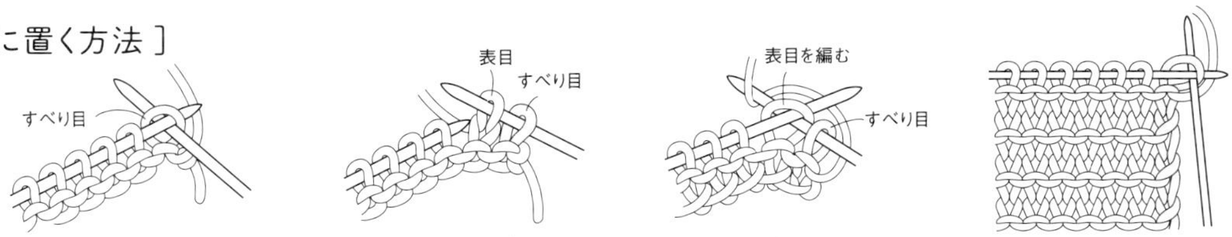

1 2段め。編み糸を向う側に置き、右針を図のように端目に入れてすべり目

2 2目めからは表目を編む

3 3段め以後は2段めと同じ

●ねじり増し目

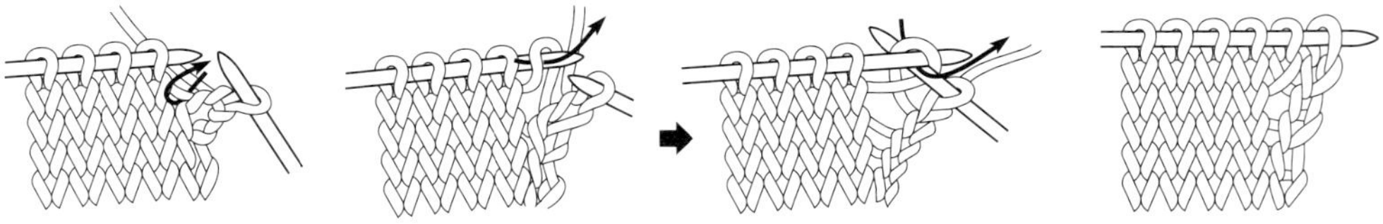

1 横糸を矢印のようにすくって左針にかける

2 矢印のように針を入れ、表編みをする

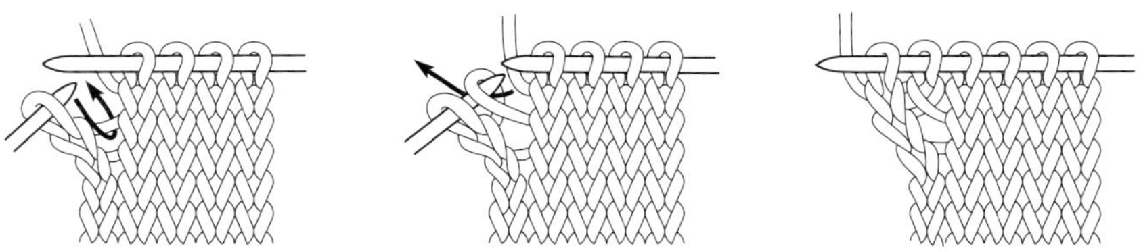

1 横糸を左針で矢印のようにすくう

2 矢印のように針を入れ、表編みを編む

●棒針の伏止め

［ 表目 ］

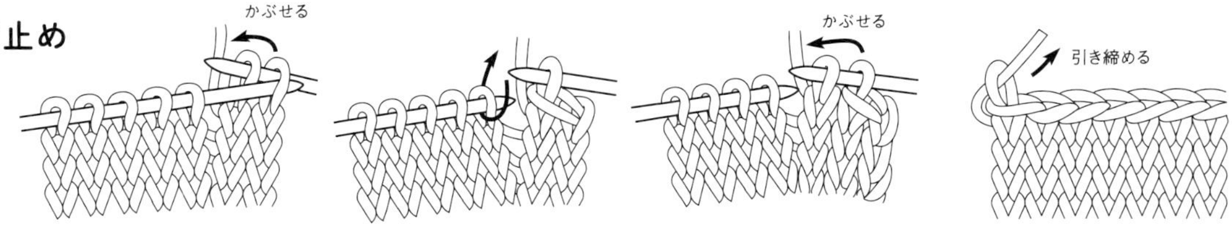

1 端の2目を表編みし、端の目を2目めにかぶせる

2 次の目を表編みする

3 2、3を繰り返す

4 最後の目に糸を通して目を引き締める

［ 裏目 ］

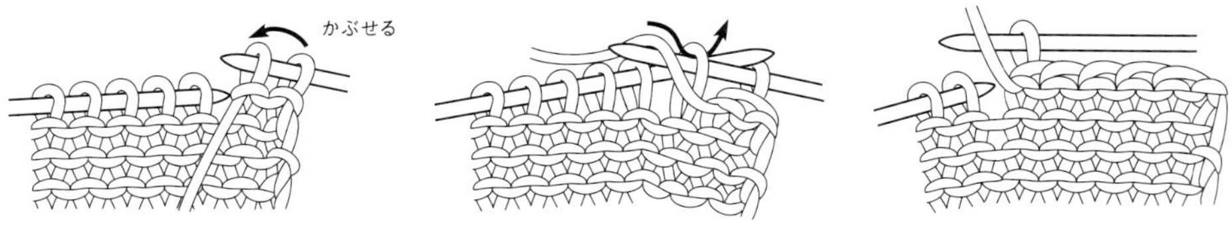

1 端の2目を裏編みし、端の目を2目めにかぶせる

2 次の目を裏編みして、右の目をかぶせる

3 2を繰り返す。最後の目に糸を通して目を引き締める

●メリヤスはぎ

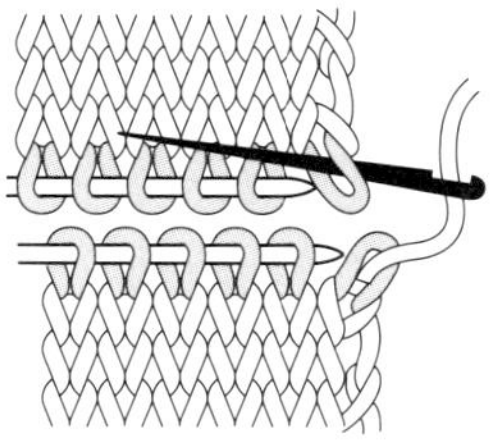

1 下の端の目から糸を出し、上の端の目に針を入れる

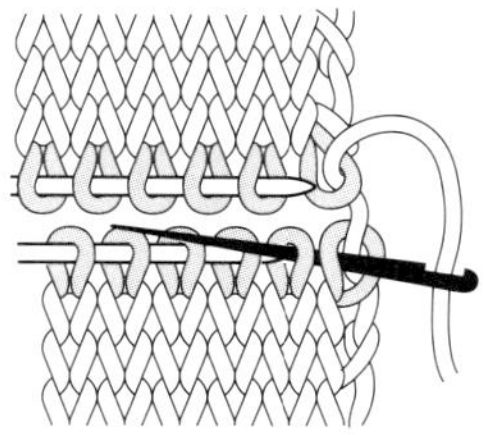

2 下の端の目に戻り、図のように針を入れる

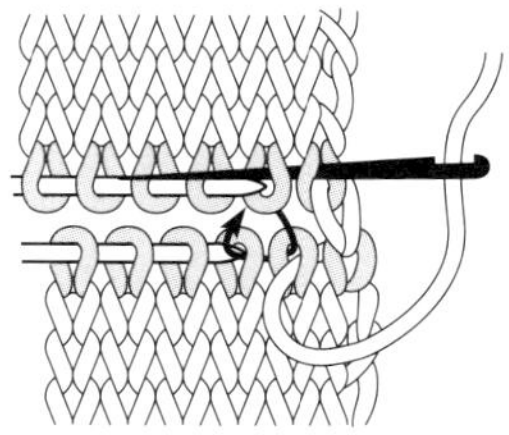

3 図のように上の端の目と次の目に針を入れ、さらに矢印のように続ける

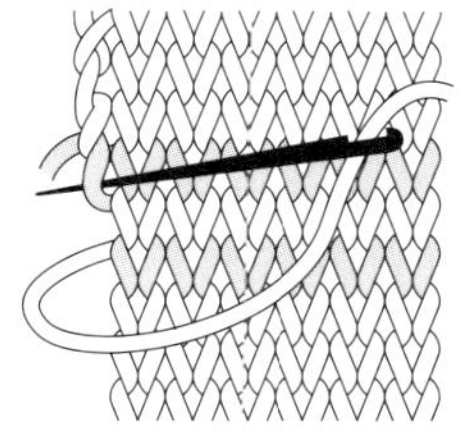

4 2、3を繰り返し、最後の目に針を入れて抜く。編終りどうしの場合は半目ずれる

●裏メリヤスはぎ

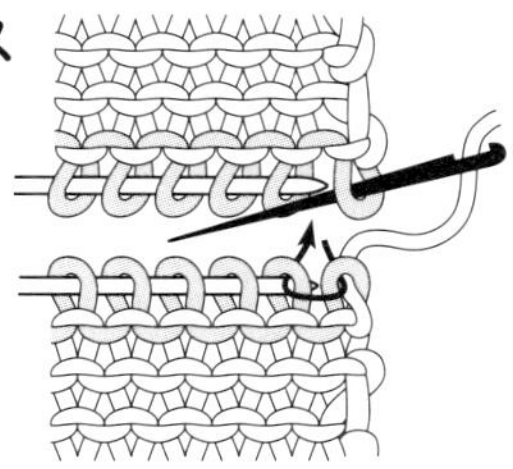

1 下の端の目の向う側へ糸を出し、上の端の目に針を入れ、矢印のように続ける

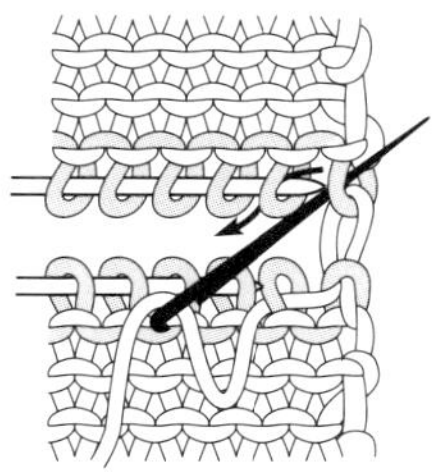

2 上の端の目に戻り、図のように針を入れ、矢印のように続ける

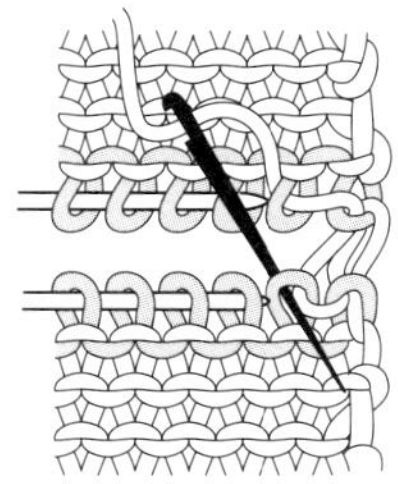

3 2、3を繰り返す

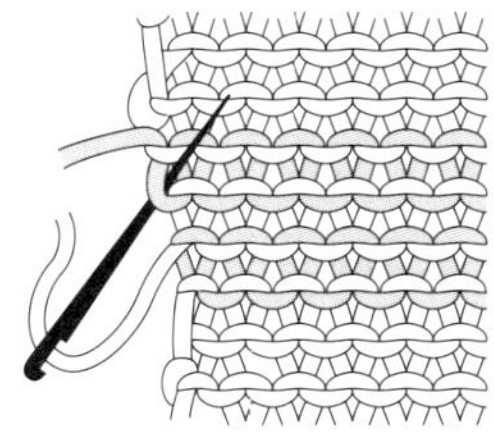

4 最後の目に針を入れて抜く

●ガーターはぎ a

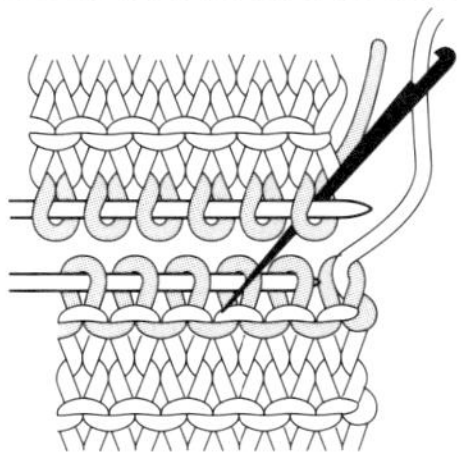

1 下の端の目から糸を出し、上の端の目に針を入れる

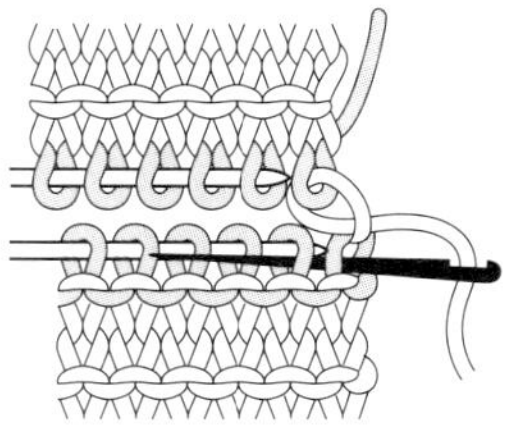

2 下の端の目に戻り、下はメリヤスはぎの要領で針を入れていく

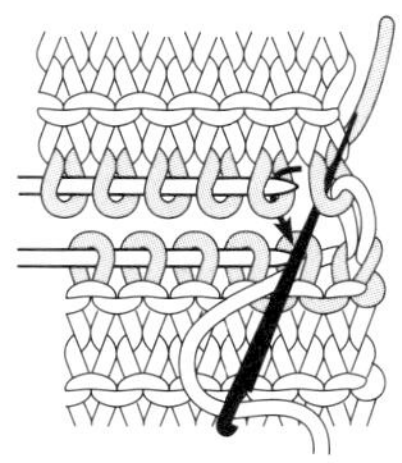

3 上は裏メリヤスはぎの要領で針を入れていく

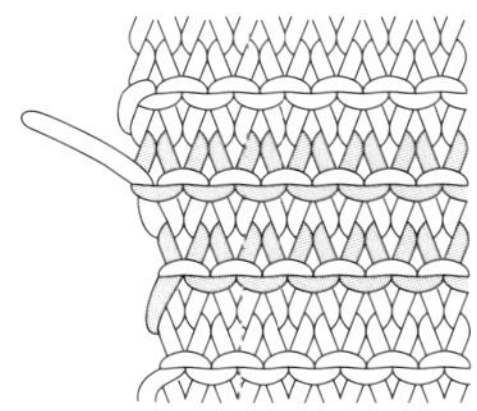

4 2、3を繰り返し、はぎ合わされた状態

●ガーターはぎ b（p.58 作品 7）

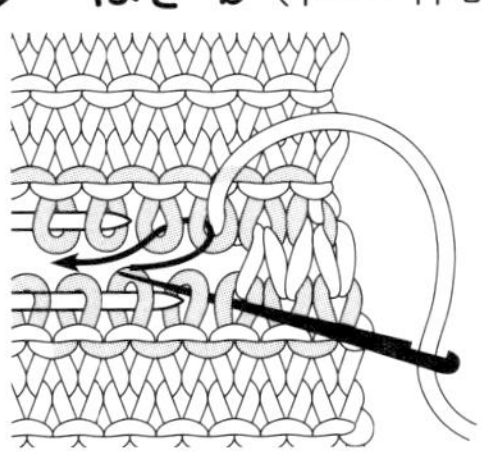

1 メリヤスはぎの要領で、1目に2回ずつ針を入れていく

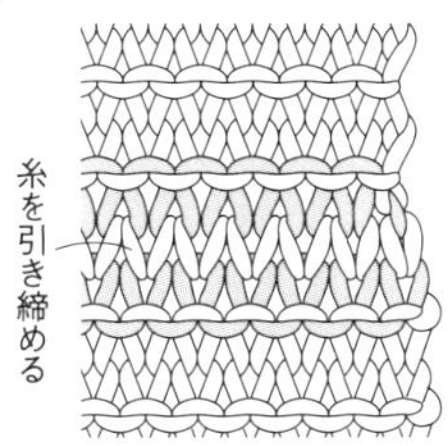

2 はいだ糸で1段作ると、表目の段が多くなるので、はいだ糸が見えなくなるまで引く

●目と段のはぎ

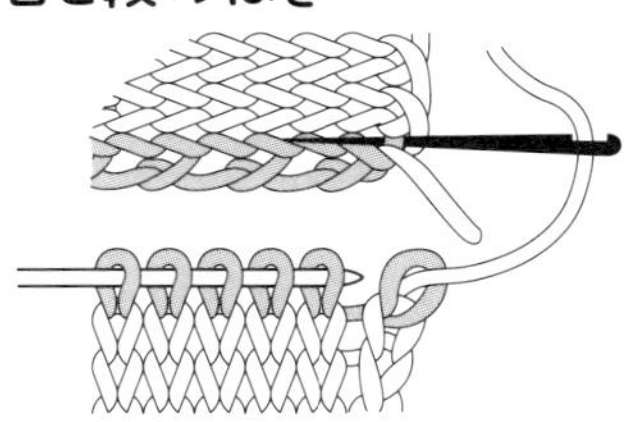

1 下の端の目から針を出し、上の段は端の目と2目めの間の横糸をすくっていく

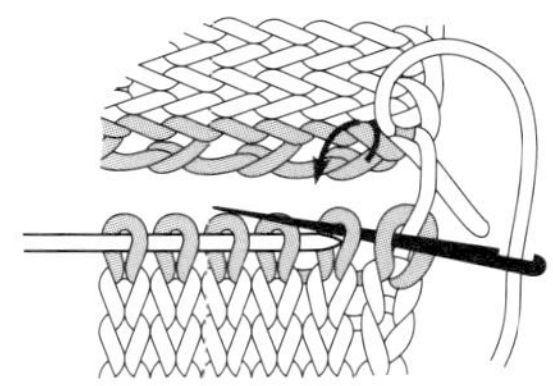

2 下の端の目に戻り、メリヤスはぎの要領で入れていく

●かぶせはぎ

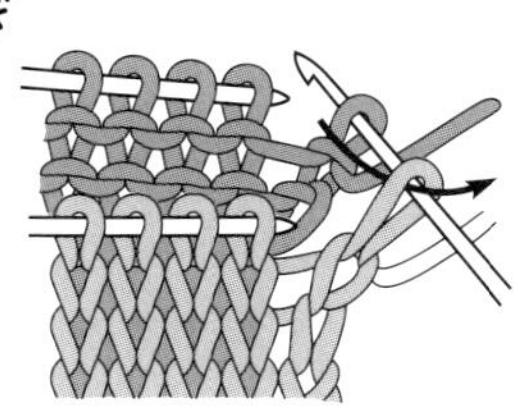

1 2枚の編み地を中表にして、向う側の端の目を手前の端の目に引き抜く

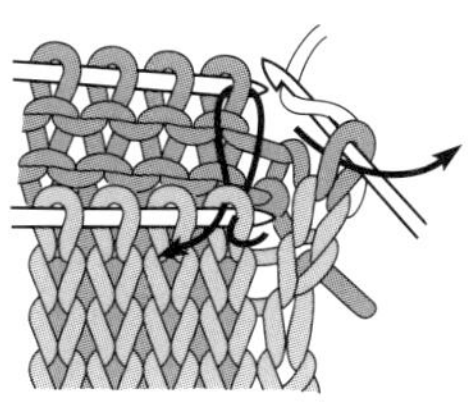

2 引き抜いた目をさらに引く。次に2目めを1のように引き抜く

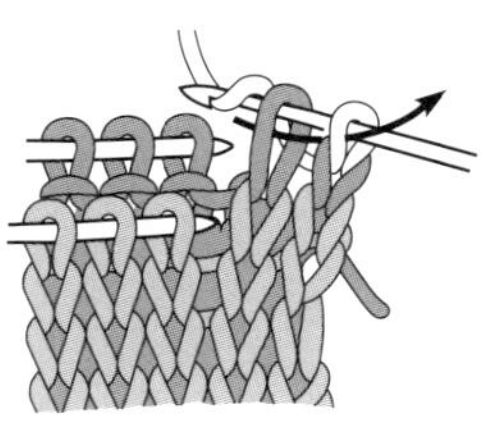

3 2の2目を一度に引き抜く

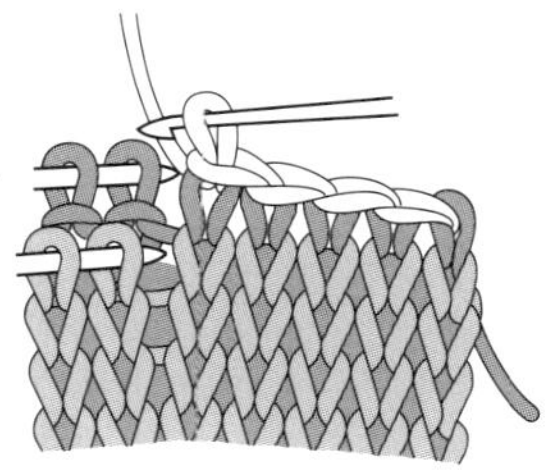

4 2、3を繰り返す

デザイン・製作

嶋田俊之　Toshiyuki Shimada

大阪音楽大学大学院修了。パリ国立音楽院に短期給費研修派遣。英国王立音楽大学（ロンドン）ARCM 等各種ディプロマを取得修了。その後ウィーンにも学ぶ。コンクール等での受賞を重ね、多数の演奏会に出演。学生時代よりクラフトに加えニットを始め、ヨーロッパ滞在中にニットを中心とするテキスタイルを専門的に学び、著名デザイナーのワークショップに参加、アシスタントも務める。また各地のニッターから伝統技法の手ほどきを受ける。現在は、書籍、講師やテレビ出演、海外からのデザインの依頼や訳本等、幅広く活躍。フェアアイル・ニットやシェットランド・レースなどを中心とする伝統ニットをベースに、自由な作風の作品群にも人気があり、繊細な色づかいと手法で好評を得ている。著者に『ニットに恋して』『北欧のニットこものたち』『ニット・コンチェルト』（以上日本ヴォーグ社）、『手編みのソックス』『裏も楽しい手編みのマフラー』『手編みのてぶくろ』『バスケット編み』『ニットで奏でるエクローグ』（以上文化出版局）がある。

ブックデザイン ……… わたなべひろこ
撮影 ……… 三木麻奈
スタイリング ……… 荻津えみこ
ヘア＆メイクアップ ……… 梅沢優子
モデル ……… 琉花
デジタルトレース ……… しかのるーむ
製作協力 ……… 大坪昌美
鈴木裕子　髙野昌子
校閲 ……… 向井雅子
編集 ……… 志村八重子
大沢洋子（文化出版局）

シェットランド・レース

棒針で編む伝統のレース
ショール、ストール、カラー

2014年11月10日　第1刷発行
2022年 5 月25日　第7刷発行

著　者　嶋田俊之
発行者　濱田勝宏
発行所　学校法人文化学園 文化出版局
〒151-8524 東京都渋谷区代々木3-22-1
☎ 03-3299-2489（編集）
☎ 03-3299-2540（営業）

印刷・製本所　株式会社文化カラー印刷

文化出版局のホームページ　https://books.bunka.ac.jp/

《毛糸提供》
● **Yarn room フラフィ**（シェットランド製毛糸）☎ 06-7897-3911（担当 大坪）
受付は月曜のみ 13:00-18:00（祝日の場合は休み）
● **room amie**（ローワン、イサガー）☎ 06-6821-3717 http://www.roomamie.jp/
● **ておりや**（オステルヨートランド）☎ 06-6353-1649 http://www.teoriya.net/
● **ホビーラホビーレ** ☎ 03-3472-1104 http://www.hobbyra-hobbyre.com/
● **アヴリル** ☎ 075-724-3550 http://www.avril-kyoto.com/

《撮影協力》
● **evam eva**（evam eva、evam eva vie）☎ 03-5467-0180
（p.10 パンツ、p.12 シャツ、p.24 シャツ、パンツ、p.32、38 ワンピース、p.36 ワンピース、p.40 ワンピース、p.42 ワンピース）
● **F.I.S**（MAOZI）☎ 03-5614-1050
（p.10 帽子）
● **フィラルフレア** ☎ 03-5775-6537
（p.16、26 ワンピース、p.28 ワンピース、p.30 スカート）
● **plus by chausser**（chausser）☎ 03-3716-2983
（p.10 靴、p.1、20、42、44 靴）